Rhai o'r prif frwydrau
yn hanes Cymru

D1634730

Yr Allt Gethin

Lleoliad: Ardal Caersws
Brwydr: Brythoniaid (Caradog)/Rhufeiniaid
Dyddiad: OC 51

Er bod tiroedd ac ynysoedd y Celtiaid ym Mhrydain ar derfynau gogledd-orllewinol yr Ymerodraeth Rufeinig, nid oedden nhw'n ddieithr nac yn ddiarffordd i longau o Fôr y Canoldir yn ystod yr Oes Efydd a'r Oes Haearn. Erbyn hyn, mae astudiaethau o longddrylliadau cynnar ar lannau Llŷn, o arferion claddu, o brofion DNA, o olion archaeolegol, ac o ymlediad ieithoedd Celtaidd ar hyd glannau Môr Iwerydd o Bortiwgal i Ynysoedd yr Alban i gyd yn cadarnhau bod cysylltiad masnachol a diwylliannol cryf ar hyd yr arfordir, a bod gwladychiad graddol a chyson wedi digwydd wrth i'r Oes Iâ olaf gilio.

Ymhell cyn i'r Rhufeiniaid a'u technoleg chwyldroadol o adeiladu ffyrdd newid cwrs y byd, daeth y Celtiaid i Gymru, Cernyw, Iwerddon a'r Alban o Fôr y Canoldir. Cadwyd llwybrau masnach a diwylliant yn agored am ganrifoedd ac yna ymledodd y llwythau tua'r dwyrain gan ddilyn prif afonydd y Cyfandir.

Mae'n sicr fod Cesar yn gwybod am y fasnach arfau cerrig, nwyddau efydd, tun, copr a haearn a fu rhwng ynysoedd Prydain a de Ewrop am gannoedd o flynyddoedd. Gwyddai hefyd fod aur a halen yn y ddaear yma ac ŷd toreithiog ar y tir gwastad. Tra bu llengoedd y Rhufeiniaid yn ymladd yng Ngâl, ymfudodd aelodau o lwythau Celtaidd y Belgae (o ogledd-ddwyrain Ffrainc a Gwlad Belg heddiw) dros y culfor i diroedd Caint. Dilyn y llwybrau hynny wnaeth Cesar a'i longau ar ganol trechu Gâl a glanio i'r gogledd o Dover yn OC 55. Arhosodd yno am wythnos cyn dychwelyd i'r Cyfandir gyda'i ddatganiad hyderus, 'Veni, vidi, vici'. Ond roedd ymhell o fod wedi trechu Celtiaid yr ynysoedd, wrth gwrs, er iddo ailymweld â'r glannau hynny y flwyddyn ganlynol.

Digwyddodd y goresgyniad Rhufeinig yn OC 43 pan hwyliodd Plautius ar draws y culfor gyda phedair lleng a lluoedd cynorthwyol, cyfanswm o 40,000 o filwyr. Fel yr eglurodd John Davies yn *Hanes Cymru*, er nad oedd ynysoedd Prydain ond degfed ran ar hugain o diriogaeth yr Ymerodraeth Rufeinig, roedd angen degfed ran o'i byddinoedd i'w hamddiffyn am ganrifoedd.

Erbyn OC 47, roedd Brythoniaid (sef

Cynnwys

Rhagair

Ym Mhennal, mae Wtra'r Beddau ac ym Môn, mae Bodgadfa. Mae enwau lleoedd sy'n cael eu cysylltu â hen frwydrau yn frith drwy Gymru – ac mae'r chwedlau lleol yn niferus yn ogystal. Arferai Bedwyr Lewis Jones ddweud ein bod yn rhy hoff o ddyfeisio straeon gwaedlyd i esbonio enwau lleoedd!

Ond mewn gwirionedd, er cymaint o straeon lleol sydd am hen frwydrau, ychydig o sylw a roddir i wir hanes brwydrau Cymru. Ychydig o safleoedd sy'n cael eu dynodi gan arwyddion; prin yw'r placiau dehongli sy'n cadw'r cof yn fyw.

Brwydrau *dros* Gymru yw'r rhai sy'n cael eu trafod yn y gyfrol hon. Bu brwydrau eraill ar dir y wlad hon, ond mae'r rhain i gyd yn ymwneud ag amddiffyn a dal gafael ar ein tir a'n hawliau fel pobl.

1. *Llywelyn Fawr yng Nghonwy;*
2. *Llywelyn ap Gruffudd, Llanymddyfri*

Rhan o farics y lleng Rufeinig, Caerllion

llwythau Celtaidd de Prydain) i'r de o'r Fosse Way, ffordd o Lincoln i Gaer-wysg (*Exeter*), dan reolaeth Rhufain. Ond nid oedd hon yn ffin esmwyth. Y tu draw iddi, roedd llwyth y Silwriaid yn ne-ddwyrain Cymru yn ddraenen barhaus yn ystlys yr Ymerodraeth. Caradog (*Caratacus* y cofnodwyr Lladin) oedd eu harweinydd, oedd wedi ymuno â nhw ar ôl colli ei deyrnas wedi blynyddoedd o ymladd i'r de o'r Fosse Way.

Sylweddolodd y Rhufeiniaid yn fuan fod darn o dir gwastad yn nyffrynnoedd Hafren a Dyfrdwy oedd yn gwahanu bryniau Lloegr oddi wrth fynydd-dir Cymru. Aethant ati i'w feddiannu a'i reoli gan drechu'r Cornofiaid oedd yn byw yno tua OC 47 a sefydlu caer filwrol yng Nghaerwrygon (*Viroconium/Wroxeter*) i ddal lleng o 5,500. O'r tair lleng-gaer fyddai ym Mhrydain, byddai dwy ar ororau Cymru – Caer yn y gogledd a Chaerllion yn y de.

Er bod gan y Rhufeiniaid lawer mwy o adnoddau a phrofiad na byddinoedd y Brythoniaid, roedd y tir a'r dull o ymladd o hynny ymlaen yn ddieithr iddyn nhw. Ymladdwr gerila oedd Caradog. Ymosodai ar gatrodau o filwyr mewn coedwigoedd a chymoedd serth ac wrth iddynt groesi afonydd, ac yna ciliai fel niwl mynydd cyn i'r prif lengoedd gyrraedd. Nid oedd ei wŷr yn ymgynnull ar faes y gad yn rhengoedd trefnus ac yn ymladd hyd y diwedd. Roedd hi'n anodd gwybod lle'r oedd ei brif wersyll a lle y byddai'n taro nesaf ac roedd yn amhosib ei ddal.

Yn OC 49 sefydlodd y Rhufeiniaid ganolfan filwrol nerthol yng Nghaerloyw. Ciliodd Caradog at Ordoficiaid a Deceangliaid gogledd Cymru gan ganolbwyntio'i ymosodiadau yn awr ar y llengoedd oedd yng ngogledd gwastadeddau Hafren, a sylweddolodd fod yn rhaid iddo ddal y tiroedd oedd ar ôl ym meddiant y Brythoniaid. Nid oedd cilio pellach i fod. Roedd y cadfridog Ostorius wedi cynnull dwy leng o filwyr yng Nghaerwrygon. Roedd gan Garadog efallai tua 30,000 o ryfelwyr yn ei fyddin yntau. Yn raddol, cynllwyniodd sut i ddenu'r Rhufeiniaid o'u caer ddiogel ar y gwastadeddau i ddod i wynebu ei ddynion ar lethrau garw mynyddoedd Cymru. Hon oedd y frwydr fawr a fyddai'n penderfynu dyfodol Cymru a holl dir y Brythoniaid. O'i hennill, gallai Caradog yrru'r Rhufeiniaid i gyd yn ôl i'r môr.

Gwyddai Caradog fod y Rhufeiniaid yn ysu i gael gwybod union leoliad ei ganolfan filwrol. Mae tair bryngaer yn dwyn yr enw Caer Garadog yng Nghymru a'r gororau.

Mae dwy ar fryniau swydd Amwythig (Cyf. Grid 477 953, ger Church Stretton a Chyf. Grid 310 758 ger Chapel Lawn). Mae'r llall yng ngogledd Cymru yn nhir y Deceangliaid ger Llanfihangel Glyn Myfyr (Cyf. Grid 968 479).

Mae'n bosibl iawn – yn debygol iawn – bod y safleoedd hyn yn gysylltiedig â brwydrau a chyfnodau eraill yn hanes Caradog, ond nid yw'r un ohonynt yn addas fel lleoliad y frwydr fawr olaf. Yn ffodus, mae disgrifiad manwl o'r frwydr derfynol hon wedi'i gofnodi gan Tacitus, hanesydd Rhufeinig. Y concwerwr sy'n cofnodi hanes, meddir, ond fel y dywedodd un Gwyddel – y collwyr sy'n cyfansoddi'r caneuon. Mae dwy o'r ceyrydd uchod yn rhy agos at Gaerwrygon ac mae'r llall yn rhy bell. Ar ben hynny, nid yw'r darlun daearyddol manwl a gawn gan Tacitus yn cydweddu â'r tri lleoliad uchod.

Yn ôl dadansoddiad Martin Hackett o'r frwydr yn OC 51, nid cyd-daro ar ci gilydd yn ddamweiniol wnaeth byddinoedd Caradog ac Ostorius Scapula. Roedd Caradog wedi dewis ei dir yn ofalus, sef y man lle y byddai'n fwyaf tebygol o drechu'r Rhufeiniaid am nifer o resymau gan y gwyddai na fyddai cyfle arall. Mae'r hanesydd yn ffafrio Cefn Carnedd a'r

Yr Allt Gethin a'r bryniau i'r gorllewin o Gaersws

bryniau ger Caersws a Llandinam yng ngorllewin dyffryn Hafren.

Yno, mae'r dyffryn gwastad yn ymestyn tua Chaerwrygon yn y dwyrain ac yn cynnig ffordd gyfleus i'r Rhufeiniaid yrru sgowtiaid, creu gwersylloedd byr-dymor a chael golwg ar y tir yn ystod y ddwy flynedd cyn y frwydr, pan fyddai'r llengoedd yn cael eu plagio'n barhaus gan gyrchoedd gerila Caradog. Roedd hi'n hanfodol i'r Brythoniaid ddenu'r llengoedd o'u cadarnle a'u twyllo i gredu eu bod yn wynebu cyrch arferol yn erbyn bryngaer, er mai trap oedd y cyfan.

Yn ôl disgrifiad Tacitus o'r frwydr, roedd y Brythoniaid ar gopa bryn caerog gyda waliau cerrig yn eu hamddiffyn. Disgrifiodd Caradog, yn gwibio yma ac acw, yn eu hysbrydoli i adennill eu rhyddid. Wynebai'r lluoedd Rhufeinig afon wrth droed y bryn ac roedd yr olygfa a'r gymeradwyaeth a gâi Caradog yn codi arswyd arnynt. Eto, dangosodd y llengfilwyr eu disgyblaeth nodweddiadol wrth i gawodydd o gerrig a phicelli ddisgyn arnynt, gan ffurfio 'crwban milwrol' (*testudo*) gyda'u tariannau a chwalu'r waliau cerrig. Roedd hi'n ymladd gleddyf ar gleddyf wedyn, ac yn raddol ciliodd y Brythoniaid i fyny'r llethrau cyn i'w rhengoedd dorri yn y diwedd. Daliwyd teulu Caradog ond llwyddodd ef i ffoi i'r hyn sydd bellach yn ogledd Lloegr lle cafodd ei fradychu a'i gyflwyno i'r Rhufeiniaid gan frenhines y Brigantes.

Ailymunodd â'i deulu yno a phlediodd o flaen Cesar yn Rhufain iddo'i gydnabod fel brenin Brythonig na wnaeth ddim ond ei ddyletswydd, sef ymladd dros ei dir a'i bobl. Bu'r Rhufeiniaid yn ddigon anrhydeddus i ganiatáu peth rhyddid iddo yn eu dinas, ond ni welodd fryniau Cymru fyth ar ôl hynny.

Yn y disgrifiad o'r frwydr gan Tacitus, gwelwn gyfrwystra Caradog a'i wŷr wrth iddynt lwyddo i ddenu'r llengoedd 45 milltir o ddiogelwch Caerwrygon, gan hau amheuaeth yn hyder y rhengoedd. Gyferbyn â'r safle a ddewiswyd gan Garadog mae bryngaer isel, fechan Cefn Carnedd – ac efallai mai dyma'r abwyd yn y trap. Fyddai'r llechwedd hwnnw ddim wedi cynnig llawer o rwystr i fyddin drefnus, brofiadol o Rufeiniaid ond roedd yn rhaid i'r Brythoniaid roi'r argraff i sgowtiaid Caerwrygon eu bod wedi canfod prif gaer rhyfelwyr y Brythoniaid. Byddai'r ymosodiadau gerila cyson dros ddwy flynedd wedi tynnu'r sylw yn uwch ac yn uwch i fyny dyffryn Hafren gan blannu a bwydo'r hedyn mai dyma gadarnle Caradog. Byddai'r sgowtiaid wedi dychwelyd i Gaerwrygon gyda'r sicrwydd nad oedd llethrau graddol Cefn Carnedd, a'r ffaith ei fod yn fryn ynysig ac o faint cymharol fychan, yn ormod o rwystr i ymgyrch Rufcinig, dim ond i honno gael ei pharatoi'n drylwyr a bod digon o filwyr yn

rhan ohoni. Roedd yn gyfle i chwalu'r gwrthryfel Brythonig a dal Caradog.

Fel rhan o'r paratoadau, byddai Scapula wedi adeiladu caer ryfel i amddiffyn gwersyll y lleng yng Nghaersws. Doedd hi ddim yn rhy hwyr i'r Rhufeiniaid droi yn ôl o'r fan honno os tybiai'r sgowtiaid eu bod yn cael eu harwain i drap. Mae'n rhaid bod Caradog wedi arfer disgyblaeth lem i atal ei filwyr rhag ymosod yn rhy fuan ac i guddio'i niferoedd yn y bryniau a'r cymoedd i gyfeiriad Llandinam, gan ddal i roi'r argraff bod prysurdeb mawr, a thanau gofaint a pharatoi at y frwydr yn y gaer fechan ar gopa Cefn Carnedd.

O dan Gefn Carnedd mae afon Carno yn llifo i afon Hafren ac is y cymer, mae lli'r afon yn gyflymach a dyfnach. Ond uwchlaw'r cymer mae rhydau yn y ddwy afon ac mae'u gwlâu yn llechog, yn llawn cerrig gwastad. Dyna'r cerrig a ddefnyddiodd y Brythoniaid i greu amddiffynfeydd ar y llechweddau isaf, gan godi waliau garw hefyd ar y llechweddau uchaf a chribau'r bryniau yn uwch i fyny'r dyffryn.

1. *Dyffryn Hafren dan yr Allt Gethin; 2. Rhan o'r gaer, Caersws; 3. Pont Hafren, Caersws*

Y lleoliad sy'n cyfateb orau i ddisgrifiad Tacitus, ac yn cynnig llwybrau wrth gefn i feirch a cherbydau'r Brythoniaid fedru dianc ar hyd-ddynt, yw'r Allt Gethin, yn union y tu ôl i ac uwchben Llandinam. Mae'r llechweddau'n disgyn yn serth i lawr y dyffryn – yn rhy serth i wŷr meirch y Rhufeiniaid. Camp Martin Hackett yw ei fod wedi canfod lleoliad perffaith i 'Frwydr Caer Garadog', gyda'r eironi nad oes caer yno – ond bod caer arall wedi'i defnyddio i dwyllo a denu'r Rhufeiniaid.

Pan sylweddolodd Scapula faint y twyll, mae Tacitus yn cofnodi maint ei ddychryn. Ond roedd hi'n rhy hwyr arno i droi'n ôl. Roedd ei filwyr, oedd wedi'u plagio gan ymosodiadau a cholledion gerila cyhyd, wedi gweld y gelyn ac roedd eu gwaed yn berwi. Mae'n debyg y byddai gan Scapula rhwng 20,000 a 25,000 o filwyr o dan ei orchymyn. Mae'n bosib iawn bod mwy o ryfelwyr ar ochr Caradog.

Gallwn gasglu mai hyn oedd trefn y digwyddiadau ym mrwydr yr Allt Gethin: Scapula a'i lengoedd yn gadael gwersyll Caersws gan anelu am gaer Cefn Carnedd; Caradog yn galw'i lu dethol o'r gaer honno a gyrru rhengoedd i lawr y llethrau at yr amddiffynfeydd isaf i wynebu'r afon; yna, byddai'r lluoedd wrth gefn wedi dod i'r amlwg ar hyd cribau'r bryniau, gan drywanu ofn i galon y Rhufeiniaid; y Rhufeiniaid yn croesi'r rhydau'n ddidrafferth ond unwaith y byddent o fewn cyrraedd ergydion slingwyr a phicellwyr y Brythoniaid, byddai bylchau yn y rhengoedd; y Rhufeiniaid yn creu *testudo* – cloi'u tariannau'n do haearn uwch eu pennau oedd ystyr hynny. Byddent yn ymarfer drwy osod milwr ar gefn ceffyl ar wyneb y tariannau i brofi cryfder y *testudo*. Y dacteg hon a gariodd y dydd yn y diwedd. Yn araf a llafurus a chyda cholledion mawr, byddai'r cannoedd o Rufeiniaid wedi llwyddo i ddringo'r llethrau gan yrru'r Brythoniaid yn ôl am y cribau. Pan welodd Caradog fod y frwydr wedi'i cholli, gallodd ddianc oddi yno ar hyd bryniau Maldwyn i gynllunio ar gyfer ei frwydr nesaf.

Glannau Menai

Lleoliad: 1. Traeth Lafan; 2. Y Felinheli
Brwydr: Brythoniaid Môn/Rhufeiniaid
Dyddiad: 1. OC 60; 2. OC 78

Nid colli Caradog oedd yr hoelen olaf yn arch rhyddid y Brythoniaid a'u hawydd i wrthwynebu'r Rhufeiniaid. Yn OC 52, trechodd y Silwriaid leng gyfan yn y de-ddwyrain, ac ni lwyddwyd i heddychu'r llwyth hwnnw nes cael presenoldeb milwrol a dinesig parhaol yng Nghaer-went a Chaerllion (*Isca*) tua OC 75. Fel y dywed John Davies, 'Bu'r dasg o oresgyn Cymru yn hir a chostus i'r Rhufeiniaid. Ceir tystiolaeth am o leiaf dair ar ddeg o ymgyrchoedd Rhufeinig yng Nghymru a'r cyffiniau rhwng OC 48 a 79'.

Un o'r rhai enwocaf, a'r hynotaf o bosib, oedd cyrch yn OC 60 – cyrch a awdurdodwyd gan yr Ymerawdwr Nero ei hun – i ymosod ar Ynys Môn. Nid byddinoedd y Brythoniaid oedd yn achosi pryder i'r Rhufeiniaid yno ond corff o arweinwyr deallusol ac ysbrydol y llwythau, sef y derwyddon.

Roedd y Rhufeiniaid wedi dod ar draws crefydd y derwyddon wrth drechu Gâl ac yn gwerthfawrogi gafael y grefydd ar y Celtiaid. Yn ogystal â chynnal seremonïau i blesio'r duwiau, y derwyddon oedd yn 'cadw cof' y llwythau. Llenyddiaeth lafar a hanes llafar oedd ganddynt ac ni ddechreuwyd ysgrifennu llenyddiaeth a chroniclau Cymraeg yn helaeth hyd tua'r nawfed ganrif. Gan fod y llwyth yn dibynnu ar gof, roedd gofyn i'r cof hwnnw fod yn fanwl a maith ac roedd dwy garfan o fewn rhengoedd y derwyddon – y beirdd a'r offeiriaid. Gwaith y beirdd oedd treulio blynyddoedd maith yn dysgu ac yna yn traddodi cof y llwyth. Byddai hanes cymdeithas, chwedlau, achau'r brenhinoedd a champau'r arwyr a'r rhyfelwyr i gyd ar

Rhan o gylch derwyddol uwch Penmaenmawr

gof a chadw ganddynt. Roedd clywed eu hanes gan y beirdd-dderwyddon a chael sicrwydd bod y duwiau o'u plaid gan yr offeiriaid-dderwyddon yn ysbrydoli'r Celtiaid i ymladd a goroesi. Nid oedd yr un gelyn yn rhy fawr iddynt unwaith yr oeddent yn ferw gwyllt. Gwyddai'r Rhufeiniaid o brofiad fod lladd eu derwyddon yn dileu cof a gwanhau ysbryd y Celtiaid.

Erbyn y cyfnod hwn, mae'n ymddangos mai yn llennyrch coed derw Môn yr oedd canolfannau derwyddon y Brythoniaid. Roedd yr ynys orllewinol honno'n cael ei hamddiffyn gan fynyddoedd a chan fyddinoedd yr Ordoficiaid. Eto, roedd y Rhufeiniaid yn ddigon craff i ganfod bod llwybr uniongyrchol i Fôn drwy fan gwan yn amddiffynfa gogledd Cymru, sef gyda'r arfordir o Gaer i lannau Menai. Erbyn OC 78, roedd y lleng wedi adeiladu ffordd o Gaer i Segontium (Caernarfon) gyda dwy gaer 'dros nos' ar y daith, Varis (ger Bodfari) a Kanovium (Caerhun) yn gwarchod y rhyd dros afon Conwy. Unwaith eto, gosododd y Rhufeiniaid sylfeini i lwybrau nifer o fyddinoedd a'u

dilynodd yn eu hymgais i drechu'r Cymry a chipio'r wlad oddi arnynt.

O OC 59 i 61, treiddiodd y cadfridog Suetonius Paulinus ymhellach ac ymhellach tua'r gogledd-orllewin er mwyn ymosod ar Fôn. Wedi croesi afon Conwy, dringodd i Fwlch y Ddeufaen ac oddi yno gallai weld afon Menai a Môn a Thraeth Lafan, a gynigiai lwybrau twyllodrus drwy'r tywod pan fyddai'r môr ar drai. Yn ôl traddodiad, roedd y traeth hwn yn dir sych i raddau helaeth hyd y chweched ganrif pan fu cwymp yn y tir ar hyd rhannau helaeth o arfordir gorllewinol Prydain, o Cumbria i dde Cymru.

Croesid i Fôn ar hyd Traeth Lafan yn gyson drwy Oes y Tywysogion hyd at ddiwedd cyfnod y porthmyn a chodi pont Telford ym Mhorthaethwy yn 1826. Y man culaf i groesi fyddai yn ardal Biwmares, ac unwaith eto gellid tybio mai'r Rhufeiniaid osododd sylfeini'r arfer i ddieithriaid ddefnyddio'r croesiad hwnnw.

Croniclydd cyrch Paulinus oedd Tacitus ac mae ganddo ddisgrifiad dramatig o'r ymosodiad ar Fôn:

'Ar y lan gyferbyn safai byddin y gwrthwynebwyr, yn drwchus gan

1. Edrych dros Draeth Lafan am Fôn;
2. Bwlch y Ddeufaen; 3. Segontium

ryfelwyr arfog. Gwibiai merched mewn gwisgoedd duon, fel offeiriadesau angladdol, ffaglau tân yn eu dwylo a'u gwalltiau'n gudynnau blêr, banerog, yn ôl ac ymlaen rhwng y rhengoedd. O'u cwmpas ym mhobman roedd rhesi'r Derwyddon, gyda'u breichiau wedi'u dyrchafu at y nefoedd, yn llafarganu llifeiriant o felltithion gan syfrdanu'r milwyr i waelod eu bod. Roedd newydd-deb y dull hwn o ymladd wedi'u taro nes eu bod yn sefyll yn hollol lonydd, wedi'u clensio yn y clai, eu cymalau fel petaent wedi'u parlysu, ac yn dargedau agored i ergydion y gelyn. Roedd Suetonius yn wynebu argyfwng ysbrydol. Anogodd ei ryfelwyr, oedd wedi gorchfygu'r holl fyd, i beidio "ag ofni haid o wragedd ac eithafwyr". Aeth baneri'r lleng ymlaen i'r gad a thrawyd i'r llawr bawb a safai o'u blaenau gan daflu'r gelynion i'r tanau roeddent hwy eu hunain wedi'u cynnau. Triniwyd y rhai a goncrwyd â llaw gadarn gan ddinistrio eu llennyrch, oedd wedi'u cysegru i ofergoeliaeth annynol.'

O'r cofnodion, gwelwn fod y Rhufeiniaid wedi paratoi llynges o gychod isel, gyda gwaelodion fflat iddynt ar gyfer croesi'r sianel. Dilynodd y gwŷr meirch drwy rydio'r cerrynt orau y medrent, neu drwy nofio wrth ochr y ceffylau. Unwaith eto, chwalodd rhengoedd y Brythoniaid wrth wynebu milwyr profiadol a disgybledig Rhufain a bu lladdfa enbyd ar yr ynys. Difethwyd y safleoedd cysegredig a'r temlau, drylliwyd yr allorau a lladdwyd llawer o'r derwyddon.

Ond llwyddodd rhai i oroesi a dianc, yn ôl yr hanes. Ffodd rhai i Iwerddon a Manaw. Ni chollwyd yr holl ddysg a'r cof cyfan. Daliwyd i arfer yr hen grefydd, ond ynghudd ar ôl hynny. Yn ddiweddarach, cafodd rhai o'r ysgrifenwyr Lladin gip ar wybodaeth ryfeddol y derwyddon a thalwyd teyrnged i'w gallu fel mathemategwyr, seryddwyr a llenorion.

Ar ganol y rhaib ym Môn yn OC 60, daeth y newydd i'r lleng fod Buddug a'i merched a llwyth yr Iceni wedi codi mewn gwrthryfel yn ne-ddwyrain Prydain. Roedd y Rhufeiniaid wedi gwrthod cydnabod Buddug fel brenhines wedi iddi golli ei gŵr, brenin yr Iceni – trefn naturiol pethau i'r Celtiaid. Cafodd ei fflangellu ganddynt a threisiwyd ei merched. Taniwyd y

Afon Menai i'r dwyrain o Bont y Borth

gwrthryfel a'r merched oedd yn ei arwain. Defnyddiwyd y ffyrdd Rhufeinig ganddynt yn erbyn y gorchfygwyr eu hunain a llosgwyd Colchester a Llundain. Brysiodd Suetonius yn ôl o Fôn gan drechu'r gwrthryfelwyr gyda'i leng.

Yna yn OC 78, dychwelodd y Rhufeiniaid i Fôn dan arweiniad Agricola. Roeddent yn cyrchu o gaerau mwy diogel y tro hwnnw ac mae'n bosib bod y croesiad ar draws y Fenai wedi'i wneud yn nes at Segontium – Llanidan efallai, neu ardal Pont y Borth. Yn raddol, ymledodd y ffyrdd Rhufeinig ar hyd ac ar draws Cymru, gan gysylltu rhwydwaith o gaerau â'i gilydd, a chafwyd rhai canrifoedd o heddwch. Mae'r olion yng Nghaerllion, Caer-went ac ar hyd y gororau i Gaerwrygon a Chaer yn deyrnged i ymladdgarwch pobl Cymru wrth ddal gafael ar eu tiroedd yn nannedd grymoedd un o'r ymerodraethau mwyaf a welodd y byd.

Maes Garmon

Lleoliad: Maes Garmon ger yr Wyddgrug
Brwydr: Cymry/Sacsoniaid
Dyddiad: tua 429

Mae traddodiad Cymreig, a chofnod gan Beda ac yn llawysgrif Buchedd Garmon (*Constantius*), bod 'Garmon Sant' wedi arwain y Cymry Cristnogol i fuddugoliaeth yn erbyn y Sacsoniaid a'r Pictiaid paganaidd yn 429. Bedyddiwyd y Cymry gan y gŵr eglwysig ac yn ôl Beda, cuddiodd y milwyr y tu ôl i goed mewn glyn caeedig ac wrth i'r gelynion gyrraedd y llannerch gan fwriadu ymosod arnynt yn ddirybudd, llamodd y Cymry i'r golwg gan ddilyn arweiniad y sant a gweiddi 'Haleliwia!' dair gwaith a chwifio'u harfau a'u baneri. Adleisiwyd eu lleisiau gan y creigiau gan beri i'r ymosodwyr gredu bod yno lengoedd niferus yn barod i frwydro yn eu herbyn. Yn eu braw, dyma nhw'n taflu'u harfau a'u hysbail ar y ddaear a rhuthro'n ôl yr un ffordd ag y daethant, ond bod rhai wedi disgyn i afon gerllaw a boddi. Ildiwyd buddugoliaeth i'r Cymry heb iddynt orfod taro ergyd na thywallt dafn o waed.

Mynach oedd Beda ac roedd ganddo broblem foesol, wrth gwrs, wrth adrodd bod sant Cristnogol yn arwain byddin i ryfel. Doedd hynny ddim o reidrwydd yn broblem i rai o fucheddwyr Cymru – mae'r stori am Ddewi Sant yn annog milwyr Cymreig i wisgo cenhinen bob un o gae cyfagos er mwyn iddynt adnabod ei gilydd wrth frwydro yn erbyn byddin o Saeson yn un gyfarwydd iawn. Fel y sylwodd Charles-Edwards, mae elfennau o'r stori feiblaidd am waliau Jericho yn dymchwel i sain utgyrn yn yr hanesyn gan Beda. Roedd parchuso'r esgob a arweiniai fyddin o filwyr yn rheidrwydd er mwyn gwneud yr hanes yn dderbyniol i lygaid eglwysig yn llyfr Beda.

Nid yw Beda yn lleoli'r 'frwydr' yn ddaearyddol ond awgrym gan yr Archesgob Ussher o'r ail ganrif ar bymtheg yw ei bod wedi digwydd ar dir fferm Maes Garmon, ger yr Wyddgrug. Yn 1736, cododd uchelwr o'r enw Nehemiah Griffith o stad y Rhual gerllaw golofn ar y tir er mwyn cofio am y frwydr yn y llannerch. Ysgythrwyd yn Lladin ar y golofn:

'Yn y flwyddyn CCCCXX rhyfelodd y Pictiaid a'r Sacsoniaid â'u byddin gyfunol yn erbyn y Brythoniaid yn y

Y gofeb ar Faes Garmon

dyffryn hwn, a elwir yn Maes Garmon hyd heddiw. Pan ddisgynnodd y llu i'r frwydr, roedd cadfridogion apostolaidd y Brythoniaid, sef Garmon, Lupus a Christ, yn bresennol yn y gwersyll, a bloeddiasant Aleluia, Aleluia, Aleluia. Trawyd byddin y gelyn gan ddychryn: gorchfygodd y Brythoniaid: distrywiwyd eu gelynion heb dywallt gwaed: enillwyd y fuddugoliaeth drwy ffydd, ac nid drwy rym arfau.'

Mae Martin Hackett wedi canfod problem ddilys wrth geisio cysoni stori Beda gyda natur y tir yn nyffryn Alun ger yr Wyddgrug. Ble mae'r llethrau creigiog a'r glyn cul a'r afon sydd â digon o li ynddi i foddi milwyr ar ffo? Hynny sydd i gyfri ei fod yn ail-leoli'r hanes yn nyffryn Dyfrdwy ger Glyn y Groes, gan honni y gall Piler Eliseg fod yn gofgolofn i'r frwydr hon yn wreiddiol. Ond mae archwiliad archaeolegol wedi canfod esgyrn dynol mewn beddau torfol ym Maes Garmon. Mae tystiolaeth felly bod brwydr wedi digwydd ger yr Wyddgrug ac mae'n bosib mai dwy stori sydd wedi dod at ei gilydd ar y safle hwn oherwydd yr enw lle.

Pwy oedd y 'Garmon Sant' sy'n gysylltiedig â'r hanesion hyn? Yn ôl rhai ysgrifenwyr, St Germanus, esgob Auxerre yn Ffrainc, oedd y cymeriad hwn. Daeth i Ynys Prydain gyda'i gydymaith, yr Esgob Lupus (Bleiddian yn Gymraeg) o Troyes, yn 429 i amddiffyn undod Eglwys Rufain gyda chyfarfod ag eglwyswyr yn St Albans. Tra oeddent yma, ymosodwyd ar y Brythoniaid gan gynghrair y Pictiaid a'r Sacsoniaid ac yn ôl yr hanes, gwnaeth y ddau esgob eu rhan i amddiffyn y Cristnogion a'u tiroedd.

Mae anhawster arall yn codi'i ben, yn ôl yr arbenigwr enwau lleoedd Melville Richards. Nid yw Germanus yn Cymreigio'n rheolaidd i roi'r ffurf 'Garmon' inni. Dyma enghraifft, meddai, o 'wanc anniwall' rhai ysgolheigion i gysylltu enwau Cymraeg y saint ag enwau Lladin. Mae'n cytuno bod Garmon gwahanol i Germanus Auxerre yn y traddodiad Cymreig – Garmon Sant, a gysylltir mewn chwedlau â Benlli Gawr a Gwrtheyrn ac a fu'n gweinidogaethu yn y plwyfi niferus hynny yng ngogledd a chanolbarth Cymru a elwir yn Llanarmon. Mae'n cytuno ag Ifor Williams mai gair cynhenid Gymraeg yw Garmon, sy'n deillio – yn ddiddorol iawn – o *garm* 'bloedd'. Mae traddodiad yn *Hanes Gruffudd ap Cynan* sy'n lleoli brwydr yr 'Haleliwia' ym mwlch Nant y Garth ger

Llanarmon-yn-Iâl (ger safle Tomen y Rhodwydd). Mae'r ddaearyddiaeth yno o gwm cul, creigiau'n atsain ac afon ddofn yn awgrym pellach bod dau hanesyn wedi'u plethu drwy'i gilydd.

O'r hyn sydd gennym, gallwn fod yn weddol sicr fod y Cymry wedi cael peth llwyddiant mewn ambell frwydr yn erbyn y Sacsoniaid (a'r Pictiaid) oedd yn ymosod ar eu taleithiau yn y bumed ganrif. Mae awgrym cryf bod rhai seintiau yn bendithio byddinoedd y Cymry ac yn tanio'u

hysbryd. Bu brwydr ym Maes Garmon, ger yr Wyddgrug, a chladdwyd cyrff milwyr yno, ond ni allwn fod yn sicr o'i dyddiad. Gan ei bod yn agos at lwybrau ymosodol y Sacsoniaid (o Northymbria neu Fersia), mae'n bosib iawn mai brwydr rhwng Cymry a byddin o Loegr oedd hi. Os oedd yn frwydr ar ddechrau'r bumed ganrif, mewn maes mor bell i'r gorllewin â hwn yn nyffryn Alun, gallwn fod yn eithaf ffyddiog hefyd mai'r Cymry a gariodd y dydd y tro hwnnw.

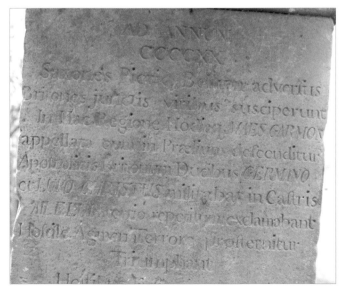

Cerrig y Gwyddel

Lleoliad: ger Rhyd y Foty; Cyf. Grid 4072;
Brwydr: Cymry/Gwyddelod
Dyddiad: tua 470

Bu morwriaeth ddi-dor ar draws y dŵr rhwng Iwerddon a Chymru yn y cyfnod cyn hanes – cafodd ei ddisgrifio fel 'Môr Canoldir y Celtiaid' gan un hanesydd. Ni ddaeth y gweithgaredd hwnnw i ben pan ddaeth grym Rhufain cyn belled â glannau gorllewinol Cymru, ond roedd milwyr a llynges y Rhufeiniaid yno i atal Gwyddelod rhag ysbeilio a gwladychu penrhynnau'r gorllewin yn ddireolaeth.

Ond yn 383, gadawodd Magnus Maximus (Macsen Wledig) Gymru gan fynd â chatrodau'r ceyrydd Cymreig gydag ef ar draws Ewrop i ymladd am reolaeth dros Ymerodraeth y Gorllewin. Bu'n llwyddiannus yno yn y blynyddoedd cyntaf ond gadawodd Gymru ddiamddiffyn o'i ôl. Eisoes roedd y Gwyddelod wedi ymsefydlu yn ne-orllewin a gogledd-orllewin y wlad. Yn 405, anrheithiwyd glannau Cymru gan Nial y Gwyddel. Digwyddodd hynny'n amlach dros y ganrif a ddilynodd ac, yn raddol, diflannodd y Brydain Rufeinig ac ymddangosodd cenedl y Cymry a'r iaith Gymraeg.

Nifer o deyrnasoedd bychain, pob un â'i brenin ei hun, a ddaeth i'r amlwg yng Nghymru yn y cyfnod hwnnw, ond yn raddol llyncwyd y teyrnasoedd llai gan y brenhinoedd cryfaf. Yn ôl Nennius, hwyliodd Cunedda (tua 440) a Gwŷr y Gogledd o Ystrad Clud i ogledd Cymru a sefydlu llinach o reolwyr cryf, sef brenhinoedd a thywysogion Gwynedd o Faelgwn Gwynedd i Lywelyn II. Canfuwyd tlws yn arddull gemwaith afon Forth yng nghromlech Pant-y-saer ym Môn a beddau petryal yn arddull Ystrad Clud yn nyffryn Clwyd.

Gwyddom fod marchogion o Gymru wedi mynd i gynorthwyo cyrch llwyth y Gododdin (y Brythoniaid yn ardal Caeredin) yn erbyn y Saeson yng Nghatraeth (tua 600). Mae digon o dystiolaeth bellach bod Cunedda a'i wyth mab wedi mudo i ogledd Cymru tua 440, a hynny'n bennaf i lenwi'r bwlch a adawyd gan lengoedd Rhufain, er mwyn sefydlu teyrnasoedd cadarn yn erbyn y bygythiad o du'r Gwyddelod. Er hynny, mae enwau lleoedd fel Llŷn a Dinllaen yn dangos bod y dylanwad Gwyddelig wedi parhau ar lannau Gwynedd am beth amser ar ôl hynny. Yn y canrifoedd hyn hefyd, roedd cychod y seintiau yn mynd a dod yn gyson rhwng Iwerddon a Chymru – a'r gwledydd Celtaidd eraill – yn ogystal â'r cychod masnach oedd wedi ailafael yn llwybrau'r gorllewin. Ni wnaeth dyfodiad y llwythau Germanaidd yn nwyrain Prydain dorri'r

cyswllt rhwng Cymru a gweddill Ewrop. Darganfuwyd llestri o'r Môr Du yn llys Maelgwn Gwynedd yn Neganwy.

Parhaodd dylanwad y Gwyddelod yn hwy ym Mhenfro a Brycheiniog – un o dras brenhinoedd Iwerddon oedd Brychan Brycheiniog, brenin y dalaith honno yn y bumed ganrif. Roedd ei ganolfan ar grannog ar Lyn Syfaddan – ynys gaerog ar

Maes brwydr Cerrig y Gwyddel

bolion yn y llyn yw crannog ac roedd yn gyffredin yn Iwerddon.

Canfuwyd olion crannog ar Lyn Llydaw wrth droed yr Wyddfa hefyd, a'r enw ar lawer o'r tai crynion Celtaidd yng ngogledd-orllewin Cymru o hyd yw 'Cytiau'r Gwyddelod'. Ond ni chafodd y Gwyddelod gyfle i ennill digon o dir am gyfnod digon maith i lywodraethu yng Ngwynedd. Mae'r archaeolegydd Rhys Mwyn yn dangos fod tystiolaeth bod rhai o 'Gytiau'r Gwyddelod' yng Nghymru yn deillio'n ôl i'r Oes Efydd ond bod rhai yn dal i gael eu defnyddio yn y cyfnod Rhufeinig. Yn aml, ffermydd oedden nhw – fel y rhai yn Nhŷ Mawr, Caergybi ac ym Meillionydd a'r Rhiw yn Llŷn. Gall yr enw roi'r camargraff bod mudo helaeth wedi digwydd o Iwerddon i Gymru, ond term a ddefnyddiwyd o'r ddeunawfed ganrif ymlaen yw 'Cytiau'r Gwyddelod' mewn gwirionedd.

I'r dwyrain o Aberffraw, ym Môn (gyda'i harbwr naturiol yn yr aber sy'n wynebu tua bryniau Iwerddon), bu brwydr tua 470. O boptu nant fechan ym mhlwyf Trefdraeth, wrth drefgordd hynafol o'r enw Cerrig y Gwyddel a hen gaer Geltaidd Din Dryfol, arweiniodd Caswallon Lawhir, ŵyr Cunedda, fyddin Gymreig i fuddugoliaeth derfynol yn erbyn y Gwyddelod.

Dyna, mae'n debyg, ddiwedd ar y gwladychiad Gwyddelig. Parhaodd cysylltiad masnachol a diwylliannol ag Iwerddon am ganrifoedd a chafodd Cymru rannu treftadaeth dysg, seintiau a chwedloniaeth yr Ynys Werdd. Drwy'r Oesoedd Canol yn ogystal, bu Iwerddon yn hafan ddiogel i sawl tywysog Cymreig a oedd ar ffo ac a ddychwelodd yn ddiweddarach gyda milwyr Gwyddelig yn ei gefnogi i adennill ei deyrnas.

Aberffraw

Mynydd Baddon

Lleoliad: *Mynydd Baddon, Pen-y-bont ar Ogwr*
Brwydr: Cymry/Sacsoniaid
Dyddiad: tua 496

Mae dau Arthur – yr Arthur hanesyddol ac Arthur y chwedlau. Cadwyd degau o chwedlau amdano ond ychydig iawn o ffeithiau hanesyddol sydd am y gŵr a apeliodd mor gryf at ddychymyg Ewrop yn yr Oesoedd Canol. Mae gwreiddiau'r ffeithiau hynny yn y diwylliant Cymreig, mewn llenyddiaeth Gymraeg gynnar, ac yn y gwaith Lladin a briodolir i Nennius, *Historia Brittonum* (*c.* 830). Cofnodir bod y brenin Arthur wedi ymladd deuddeg brwydr yn erbyn y Sacsoniaid ac wedi'u trechu bob tro, gan sicrhau heddwch am gyfnod helaeth yn sgil ei fuddugoliaeth olaf yn eu herbyn ym mrwydr Mynydd Baddon. Mae Gildas, mynach o'r chwechd ganrif, hefyd yn cyfeirio at y fuddugoliaeth ac o'i destun ef, gallwn ddyddio'r frwydr tua 496.

Yn ôl Nennius, llogodd Vortigern (Gwrtheyrn y traddodiad Cymreig) filwyr o Ffriesland rhwng 420 a 450 i atal bygythiad y Pictiaid oedd yn ymosod ar ddwyrain Prydain o'u tiroedd yn yr Alban. Cafodd y Germaniaid diroedd ger Llundain yn y fargen ac o'r troedle hwnnw, helaethodd eu tiriogaeth ar draul y Brythoniaid (ac yn ddiweddarach, y Cymry) yn y gorllewin. Ond yn ystod y ganrif gyntaf hon ar ôl ymadawiad y Rhufeiniaid, Brythoneg oedd yr iaith o Gaeredin i Gernyw. Erbyn diwedd y bumed ganrif, fodd bynnag, byddai'r Gymraeg wedi datblygu o'r hen iaith Geltaidd honno.

Nid yw'r croniclau Seisnig yn sôn am Arthur, ond nid yw hynny'n annisgwyl gan mai dim ond brwydrau y bu'r Sacsoniaid yn fuddugol ynddynt y cyfeirir atynt fel rheol! Mae John Davies yn nodi bod tystiolaeth archaeolegol bod cymunedau Sacsonaidd wedi ymledu'n helaeth ar hyd afon Tafwys tua'r gorllewin hyd 490, ond wedi'u hatal am hanner canrif ar ôl 500 – tystiolaeth, efallai, o nerth y Cymry dan Arthur.

Y darlun a gawn o Arthur yw arweinydd gwŷr meirch symudol oedd yn bencampwyr ar ryfela. Mae'r traddodiad o ymladd ar feirch yn ddwfn yn hanes y Brythoniaid, fel y gwelwn yn yr angen i godi cerrig i greu *chevaux de frise* (atalfa carlamu) ar lwybr tebygol ymosodiad gan wŷr meirch yn yr hen gaer Geltaidd Pen y Gaer yn nyffryn Conwy. Mae'n sicr bod y

Rhufeiniaid wedi cyflwyno tactegau newydd i'r marchogion Brythonig ac roedd byddin gymharol fechan, ond chwim a ffyrnig, yn medru delio â byddin lawer mwy niferus o Sacsoniaid oedd yn filwyr traed yn unig.

Mae Nennius yn cyfeirio at Arthur nid fel *Rex* (brenin) ond fel *Dux Bellorum* (arweinydd brwydr) a dywed fod cynghrair o frenhinoedd Brythonig wedi'i benodi'n gadfridog ar fyddin unedig y teyrnasoedd. Mae'n nodi hefyd mai ym mrwydr Mynydd Baddon y disgleiriodd fel arweinydd. Yn ôl yr *Annales Cambriae* (Croniclau'r Cymry), parhaodd y frwydr am dri diwrnod a thair

Chevaux de frise *Pen y Gaer*

noson, a threchwyd y Sacsoniaid mor llwyr nes i rai ohonynt ddychwelyd i'w hen ardaloedd Germanaidd ar y Cyfandir.

Fel gyda phopeth arall sy'n gysylltiedig ag Arthur, mae lleoliad ei ddeuddeg buddugoliaeth yn erbyn y Saeson yn destun cryn drafodaeth a dadlau. Ond gall arbenigwyr gysylltu nifer ohonynt â lleoliadau ar ffin ddwyreiniol Cymru – Baschurch (swydd Amwythig), Caer-went, Caerllion, Caerloyw a Leintwardine (swydd Henffordd).

Yn draddodiadol, mae haneswyr wedi derbyn dyddiad brwydr Dyrham, a ymladdwyd ger Caerfaddon (*Bath*) yn 577, fel y rhwyg terfynol dros y tir rhwng y Cymry a'u brodyr Celtaidd yn Nyfnaint a Chernyw. Ond mae digon o dystiolaeth bod y Sacsoniaid wedi treiddio ymhellach i'r gorllewin ganrif cyn hynny a bod nifer o frwydrau Arthur wedi'u hymladd ar ororau Cymru, yn arbennig y mannau hynny yr oedd hi'n weddol rwydd i gyrraedd atynt ar hyd hen ffyrdd y Rhufeiniaid, neu dros y môr.

Er bod nifer o haneswyr yn dewis lleoli buddugoliaeth olaf Arthur yn Dorset neu Swindon, mae Martin Hackett (gan gyfeirio at waith Gilbert, Wilson a Blackett) yn ffafrio rhan o Fro Morgannwg.

Cyn y gellid cael 'buddugoliaeth derfynol' a 'gyrru'r Sacsoniaid yn eu holau', byddai'n rhaid eu bod wedi treiddio ymhell iawn i'r gorllewin ac wedi'u hynysu rhag cael eu hatgyfnerthu o'u tiroedd eu hunain. Mae ffyrdd Rhufeinig a chysylltiadau dros y môr yn cadarnhau posibiliadau Bro Morgannwg, gan gofio mai Caerllion, o bosib, oedd cadarnle Arthur a'i bod felly'n darged amlwg i gyrchoedd y gelyn.

I'r de o Faesteg ac i'r gogledd o Borthcawl, mae cadwyn o fryngaerau Brythonig ar Esgair Morgannwg, gyda charneddi niferus ac enwau caeau a allai ddeillio o ryfel mawr. Dehonglir bryngaer y Bwlwarcau fel gwersyll Arthur gan awgrymu bod y Sacsoniaid wedi gosod gwarchae arni am ddeuddydd – gallai byddin o 1,000 o farchogion lochesu o fewn ei chloddiau a'i ffosydd amddiffynnol. Byddai'n darged credadwy i'r Sacsoniaid yn y gwersyll islaw, gan nad oedd ei maint na'i hamddiffynfeydd yn anferthol.

Ar y trydydd dydd, cynullodd Arthur ei farchogion wrth borth y gaer a rhuthro ar wersyll y Sacsoniaid ger bryn a elwir yn Fynydd Baddon ar doriad gwawr. Wedi colledion deuddydd o ymosod ar y gaer, byddai'r Sacsoniaid yn isel eu hysbryd a

nifer yn y gwersyll wedi'u clwyfo gan ergydion milwyr Arthur. O gofio cystal tactegwr oedd Arthur, mae'n bosib mai'r hyn a wnaeth oedd gadael i'r gelyn fentro'n rhy bell, dihysbyddu ei nerth ymosodol ac yna taro er mwyn sicrhau buddugoliaeth barhaol yn erbyn y Sacsoniaid, gan sicrhau nad oeddent yn fygythiad pellach am hanner can mlynedd.

Mynydd Baddon, ar lwybr Esgair Morgannwg ger Pen-y-bont ar Ogwr

Brwydr Camlan

Lleoliad: Fferm Camlan ger Dinas Mawddwy
Brwydr: Arthur/Medrawd
Dyddiad: tua 537

Peth peryglus ydi ceisio lleoli digwyddiadau wrth glywed tebygrwydd rhwng enwau presennol a'r digwyddiadau hynny. Mae sawl dehongliad daearyddol o frwydr Camlan, brwydr olaf Arthur, yn dibynnu ar ddyfalu o'r fath.

Mae rhai ffeithiau eraill yn rheswm dros leoli'r frwydr hon yng Nghymru, serch hynny. Aeth Arthur oddi yno i Afallon i'w ymgeleddu ac i farw. Roedd Arthur yn farchog oedd yn cario llun y Groes ar ei darian – amddiffyn tir y Cristnogion yn nannedd ymosodiadau'r anwariaid oedd ei nod. Prif ynys y seintiau yn y gorllewin oedd Enlli – bu'n hafan i ffoaduriaid Cristnogol (yn ôl traddodiad, ffodd 900 yno yn dilyn brwydr Caer *c.* 616), yn noddfa i seintiau (dywedir bod 20,000 wedi'u claddu yno) ac roedd tair pererindod i Enlli gystal ag un i Rufain, hyd yn oed. Ar ben hynny, hi yw ynys Afallen Enlli. Darganfu archaeolegwyr olion anheddau o'r bumed/chweched ganrif yno a gan fod gan Arthur ddwy long – *Prydwen* a *Gwennan*, meddir – byddai'n lle diogel i'w farchogion gilio iddo yn ddigon pell o gyrraedd byddinoedd a llongau'r

Sacsoniaid. Mae traddodiad o gario cyrff i Enlli ar hyd glannau Bae Ceredigion, felly mae lleoli Camlan ym Meirionnydd yn cyd-fynd ag arfer o'r fath.

Brwydr rhwng Brythoniaid – brwydr deuluol hyd yn oed – oedd Camlan, rhwng Arthur a'i nai a'i archelyn, Medrawd. Cafodd y ddau anafiadau angeuol yn y frwydr waedlyd honno. Nid yw'n addas ei lleoli yn y tiroedd lle bu'r ymrafael rhwng y Brython a'r Sacson, felly. Byddai ymhell y tu ôl i'r llinellau hynny ac mae'n fwy na thebyg mai byddinoedd o ychydig gannoedd o ddynion oedd yn cymryd rhan ynddi, er bod yr ymlad, meddir, wedi bod yn ffyrnig a gwaedlyd, gan arwain at golledion anferth ar y ddwy ochr. Ymladdwyd nes i'r colledion fynd yn drech na nhw, ac nid oedd enillydd.

Gall 'Camlan' olygu glan ddolennog i afon, ac mae dolen yn afon Dyfi wrth fferm o'r enw i'r de o Ddinas Mawddwy (Cyf. Grid 852 112), gyda charneddau claddu ddeupen y maes. Byddai byddin Medrawd

Maes Camlan ac afon Dyfi ger Dinas Mawddwy

wedi dod i lawr o'r mynyddoedd a byddin Arthur i fyny'r dyffryn – wedi cyrraedd Aberdyfi mewn llongau, efallai, a hwylio cyn belled â Derwen-las. Byddai llongau rhyfel y cyfnod yn medru dal tua 120 o farchogion.

Mae'n bosib mai yma y cafodd yr arwr mawr ei glwyfo. Gadawodd y Cymry â'r llaw gryfaf am ddegawdau – rhwng 500 a 550, nid yw Cronicl y Saeson yn cofnodi un fuddugoliaeth yn erbyn y Brythoniaid.

Morfa Rhianedd

Lleoliad: Safle Llandudno heddiw
Brwydr: Cymry (Maelgwn Gwynedd)/Sacsoniaid
Dyddiad: tua 546

Er mwyn amddiffyn y glannau a'r aberoedd rhag ymosodiadau o'r gorllewin, roedd y corcyn folcanig sydd wedi creu'r bryniau serth naturiol uwch Deganwy ac aber afon Conwy yn cynnig safle manteisiol. Dangosodd archwiliadau archaeolegol fod olion caer y̅no o tua 400 ymlaen – sy'n cyd-fynd â'r ddamcaniaeth mai dyma gadarnle Cunedda a'i deulu.

Un o'i ddisgynyddion oedd Maelgwn, mab Caswallon oedd wedi codi tŵr gwylio ym Modysgallen. Cododd Maelgwn gastell ar y bryn ac yn ystod ei oes sefydlodd Gwynedd yn deyrnas gref, gyda phenaethiaid teyrnasoedd llai yn y gogledd yn unedig a darostyngedig i'r pennaeth yn Neganwy. Bu Maelgwn farw o'r pla yn 547 ond yn ogystal â chanlyn gyrfa filwrol, noddai'r celfyddydau yn ei lys ac roedd yn foethus ei safon byw – mewnforiai win a llestri o ddwyrain Môr y Canoldir. Roedd hefyd yn llawn cyfrwystra – yn wir, gellid ei alw'n gnaf ysgeler wrth iddo fynnu cael ei ffordd ei hun.

Mae chwedl amdano'n ennill yr hawl i dra-arglwyddiaethu dros fân frenhinoedd eraill yng Nghymru. Galwodd bob pennaeth i lan y môr yn Aberdyfi gan eu siarsio i ddod â'u gorseddau gyda hwy. Yn rhyfeddol, cytunodd y lleill i ymryson am yr hawl i fod yn uwch-frenin drwy osod eu gorseddau seremonïol crand a thrwm yn rhes ar y traeth wrth i'r llanw ddod i mewn. Y dewraf wrth wynebu'r tonnau – hynny yw, yr olaf i godi oddi ar ei orsedd a ffoi yn uwch i fyny'r traeth – fyddai'n cael hawlio'r teitl. Ond roedd Maelgwn wedi cyrraedd gyda chadair o gŵyr a phlu gwyddau a thra bod yr heli at yddfau'r brenhinoedd eraill, roedd ef a'i orsedd yn nofio'n braf ar wyneb y dŵr! Chwedl efallai, ond mae llain o dywod o'r enw Traeth Maelgwn yn Aberdyfi hyd heddiw.

Mae Gildas yn ei alw'n *Insularis Draco* ('Draig yr Ynys') gan gydnabod bod ei ddylanwad i'w glywed ar draws Prydain, ond yn honni mai drwy ladd rhai o aelodau ei deulu yr enillodd ei bwerau. O'i ganolfan yn Neganwy, creodd fwy o undod rhwng y mân deyrnasoedd ac mae haneswyr yn ei enwi fel 'pensaer cenedl y Cymry'. Anelodd at undod diwylliannol hefyd, ac mae stori arall amdano'n noddi'r delyn a barddoniaeth drwy gynnal math o eisteddfod yn ei lys. Cyrhaeddodd y cerddorion a'r beirdd yn awchus i ymryson yn erbyn ei gilydd, ond yn ddistaw bach, roedd Maelgwn yn cefnogi gwŷr y geiriau. Ar y funud olaf, cyhoeddodd nad yn ei lys moethus yn Neganwy y byddai'r eisteddfod ond ar draws yr afon ac i fyny yn yr hen fryngaer Geltaidd ar Fynydd Conwy.

Doedd dim digon o gychod i'r osgordd gyfan, wrth gwrs, a bu'n rhaid i'r beirdd a'r cerddorion nofio ar draws y sianel gul o dan y castell. Erbyn cyrraedd y gaer ar y mynydd, roedd y beirdd wedi sychu ac yn medru lleisio'n rhagorol. Roedd telynau'r cerddorion yn dal allan o diwn ar ôl cael eu

Bodysgallen, ger Llandudno

mwydo yn heli'r aber, fodd bynnag. Y beirdd aeth â hi, ac mae'n debyg bod gwên lydan ar wyneb y brenin. Yn ôl hanesyn arall, roedd pedwar ar hugain o feirdd yn derbyn ei nawdd yn llys Deganwy un Nadolig.

Daeth byddin o Sacsoniaid i ymosod ar gaer Maelgwn yn Neganwy gan wersylla ar y twyni a'r corsydd lle mae tref Llandudno heddiw – Morfa Rhianedd, bryd hynny. Rhuthrodd Maelgwn a'i filwyr arnynt o'u safle fanteisiol ar greigiau Deganwy gan eu trechu'n llwyr. Gorweddai cyrff y Sacsoniaid ar hyd ac ar led y morfa. Wedi sicrhau'r fuddugoliaeth, dychwelodd y brenin a'i filwyr i gastell Deganwy am ragor o'r gwin arbennig o Fôr y Canoldir, siŵr o fod.

Gadawyd cyrff y gelyn heb eu claddu. Cododd haint o'r morfa, oedd fel niwl melyn ac iddo lygaid a chrafangau ac yn cael yr enw Y Fad Felen, yn ôl yr *Annales*.

Er ei ddrygioni, ei fercheta a'i feddwdod, roedd Maelgwn yn cael ei ganmol gan Gildas, hyd yn oed, am ei nawdd hael i'r seintiau cynnar. Rhoddodd dir i Deiniol Sant i godi clas a llan ym Mangor ac i Asaff Sant yn Llanelwy. I un arall o'r eglwysi a noddodd y ffodd

Maelgwn rhag y Fad Felen. Rhag iddo ddod i gysylltiad â phobl eraill, clodd ei hun yn eglwys y Santes Eleri yn Llan-rhos. Gallai glywed yr anfadwch melyn yn symud y tu allan i'r waliau ac aeth ei chwilfrydedd yn drech nag ef. Mentrodd gael cip drwy dwll y clo ar yr haint a dyna hwnnw yn crafangu amdano drwy'r twll, cael mynediad i'w gorff drwy'i lygad a'i ladd. Claddwyd y brenin ar Fryn Maelgwn gerllaw (Cyf. Grid 7980) yn ôl un traddodiad, ond ar Ynys Seiriol ar draws y bae y mae'i fedd yn ôl traddodiad arall.

Yn 542, torrodd y Pla Melyn ym Mhersia a dwyrain Môr y Canoldir gan ymledu drwy Ewrop, yn arbennig felly ar hyd llwybrau'r môr a'r porthladdoedd. Hwn oedd y pla a laddodd Maelgwn Gwynedd yn ôl Buchedd Teilo, a bu colledion y Cymry a'r Brythoniaid yn arbennig o drwm erbyn diwedd y 540au. Er hynny, ni chafodd lawer o effaith ar y Sacsoniaid, ac yn ystod y degawdau a ddilynodd manteisiodd y rheiny ar wendid y Celtiaid i helaethu'u tiroedd.

Mae John Davies yn awgrymu mai cysylltiadau'r Brythoniaid gyda de Ewrop a dynnodd yr haint i Gymru. Gan nad oedd gan y Sacsoniaid ddolennau o'r fath, ni chawsant eu taro gan y pla, meddai. Roedd y chwedl bod y Fad Felen wedi codi o'r morfa yn eithaf agos at ei lle, mae'n debyg.

Gwelodd Deganwy sawl brwydr a gwrthdaro arall dros y canrifoedd. Chwalwyd rhan o'r castell gan fellten yn 810 ac fe'i dinistriwyd yn llwyr gan y Sacsoniaid yn 823. Cododd y Norman Robert o Ruddlan gastell pren yno yn 1080 a daeth hwnnw i ddwylo'r Cymry yn fuan ar ôl hynny. Adeiladodd Llywelyn ap Iorwerth gastell carreg yno ond fe'i chwalwyd gan y Saeson. Cododd Harri III gastell yno yn 1245 ond chwalwyd hwnnw gan Llywelyn ap Gruffudd yn 1263 wedi i'r Cymry dorri ysbryd byddin anferth y brenin a'i gyrru'n ôl i Loegr yn newynog a cholledus. Yn 1283, defnyddiodd Edward I lawer o'r cerrig ar y safle i godi ei gastell ar draws yr aber yng Nghonwy.

Twyni Llandudno o dan hen gastell Deganwy

Bangor Is-coed

Lleoliad: Gwely afon Dyfrdwy, Bangor Is-coed
Brwydr: Cymry/Northymbriaid
Dyddiad: tua 616

Mae'n bosib mai Peblig, y sant y cofir ei enw yn Llanbeblig yng nghysgod y gaer Rufeinig yng Nghaernarfon, oedd y sant cyntaf y mae cofnod ohono yng Nghymru. Yn ôl traddodiad, roedd Peblig (*Publicius* yn Lladin) yn fab i Macsen Wledig ac mae arbenigwyr yn sicr fod y ffydd Gristnogol wedi'i harddel yno ers dechrau'r bumed ganrif, cryn ddau gan mlynedd cyn i Awstin Sant gael ei anfon o Rufain i Loegr i genhadu ymysg y Sacsoniaid paganaidd.

Yn ystod y canrifoedd hynny, datblygodd yr Eglwys Geltaidd gyda'i phwyslais ar seintiau a mynaich yn wahanol i Eglwys Rufain, gyda'i phwyslais ar rym esgobion. Roedd glannau gorllewinol Cymru ar 'briffordd y môr', gyda'r seintiau'n hwylio'n gyson yn ôl ac ymlaen rhwng eu gwahanol 'lannau' yn y gwledydd Celtaidd. Datblygodd y ffydd yn nes at bwerau natur ac roedd elfennau o hen chwedloniaeth ac arwriaeth yn perthyn iddi yn yr Eglwys Geltaidd.

Pan ddaeth Awstin Sant yn gennad gan y Pab i droi'r Sacsoniaid at Grist yn 603, trefnodd i gyfarfod â chynrychiolaeth o'r Eglwys Frythonaidd yn swydd Gaerloyw.

Ni thrafferthodd i godi o'i sedd i estyn croeso i'r Cymry a bu'n eu dwrdio am wrthod dilyn y Pasg Rhufeinig, ymysg pethau eraill. Canlyniad y cyfarfod tymhestlog oedd i'r Cymry – a nifer ohonynt yn fynaich ym mynachlog fawr Bangor Is-coed yng ngwaelod dyffryn Dyfrdwy – wrthod ei gais i wareiddio'r Sacsoniaid.

Yn ôl Beda, bu hynny'n ddigon i Awstin Sant eu bygwth drwy broffwydo y byddai'r Sacsoniaid yn dial arnynt drwy eu lladd i gyd am wrthod cais cennad y Pab i'w troi'n Gristnogion.

Bryd hynny roedd Aethelfrith, brenin paganaidd Northymbria, yn trechu taleithiau'r Hen Ogledd un ar ôl y llall. O 600–650, ymledodd ei deyrnas i diroedd y Gododdin, Elfed (ardal Leeds) a Rheged (Cumbria/Caerhirfryn) gan adael Ystrad Clud fel yr unig deyrnas Frythonig yno. Tua 616, roedd yn arwain byddin nerthol tua Chaer a glannau Dyfrdwy. Unodd y Cymry, a rhai o Gernyw, dan arweiniad Selyf brenin Powys ond fe'u trechwyd gan

Y bont ar Ddyfrdwy, Bangor Is-coed

y Northymbriaid mewn brwydr waedlyd ger Caer – brwydr 'Perllan Fangor' yn ôl un disgrifiad Cymreig ohoni. Lladdwyd Selyf a lladdwyd Aethelfrith yntau mewn brwydr arall yn fuan wedi hynny.

Oddi wrth yr enw hwnnw, gellid dod i'r casgliad bod maes y gad yn ymyl Bangor Is-coed. Roedd mynachlog helaeth yno, gyda'r mynaich yn treulio hanner eu hamser yn trin y tir. Mae gwely afon Dyfrdwy wedi symud dros y canrifoedd ac mae rhai wedi lleoli'r fynachlog lle mae pont Bangor Is-coed heddiw.

Cyn y frwydr, yn ôl Beda, ymddangosodd tua deuddeg cant o fynaich o'r fynachlog ar fryn uwchlaw maes y gad. Holodd Aethelfrith beth oedd ystyr hynny a chael ar ddeall eu bod wedi bod yn ymprydio ers tridiau a'u bod yno i weddïo am fuddugoliaeth i'r Cymry, dan warchodaeth Brochfael Ysgithrog, hen frenin Powys a thaid Selyf, oedd wedi ymddeol i'r fynachlog.

Barnodd Aethelfrith eu bod yn ymladd yn ei erbyn â'u geiriau a gorchmynnodd i'w filwyr ymosod arnynt cyn mynd ymlaen i ymladd yn erbyn y Cymry. Lladdwyd pob un ond hanner cant o'r mynachod yn ôl yr hanes. Er i'r Northymbriaid ennill y frwydr, roedd eu colledion hwythau'n fawr.

Y frwydr hon yw'r un a nodir gan haneswyr fel y rhwyg terfynol rhwng y Cymry a Brythoniaid yr Hen Ogledd. O hynny ymlaen, dim ond y Cymry fyddai'n ymladd yn erbyn ymosodiadau'r Sacsoniaid tua'r gorllewin.

I'r gŵr eglwysig Beda, proffwydoliaeth Awstin yn dod yn wir oedd lladdfa mynachod Bangor Is-coed. Pan wrthododd y Cymry ufuddhau i gais Awstin Sant iddynt genhadu ymysg y Sacsoniaid anwar, doedd dim y gallent ei ddisgwyl ond marwolaeth drwy ddwylo'r anwar.

Yn ôl traddodiad, aeth 900 o ffoaduriaid i Enlli ar ôl colli'u tiroedd i'r Northymbriaid, a chodwyd croes Geltaidd, Maen Achwyfan, ger Chwitffordd yn sir y Fflint i gofnodi'r galar am y 1,200 o fynaich a lofruddiwyd wedi brwydr Caer.

Maen Achwyfan

Rhyd Forlas

Lleoliad: Nant Morlas ger Pont y Blew
Brwydr: Cymry/Northymbriaid
Dyddiad: tua 610

Englynion o Gylch Llywarch Hen (cyfansoddwyd tua 800–850) sy'n disgrifio'r amddiffyn a'r ymladd ar Ryd Forlas. Un o arwyr yr Hen Ogledd o'r chweched ganrif oedd Llywarch Hen, o dalaith Rheged (Ardal y Llynnoedd heddiw). Roedd yn byw yn y cyfnod pan ledaenodd teyrnas y Northymbriaid yn gyflym pan oedd y Brythoniaid yn eu gwendid. Ym mrwydrau caled y cyfnod, collodd Llywarch Hen bob un o'i bedwar mab ar hugain ond un. Gwên ap Llywarch oedd y mab olaf. Er mwyn profi'i wrhydri i'w dad aeth y llanc i warchod wrth Ryd Forlas. Golygai hynny gadw gwyliadwriaeth drwy'r nos yn y tŵr pren ar Rodwydd Forlas.

Roedd rhyd yn fan gwan ar ffin y diriogaeth, wrth gwrs, yn fan lle gallai'r gelyn groesi'r afon ac ymosod ar y deyrnas. Os byddai cyrch y noson honno, siarsiodd Llywarch ei fab i ganu'r corn i alw am gymorth gan y fintai wrth gefn. Ni chanodd Gwên y corn pan ddaeth yr ymosodiad. Ymladdodd ac fe'i lladdwyd ac mewn cyfres o englynion eraill mae Llywarch yn galaru am ei fab dewr a hoffus.

Mae elfennau chwedlonol a mytholegol y tu ôl i'r englynion ond mae arwyddocâd hanesyddol iddynt hefyd. Mae ynddynt ddarlun o amddiffyn ffin y Gymru rydym ni'n gyfarwydd â hi erbyn hyn. Wedi colli brwydr Caer, byddai'r Cymry wedi'u gwasgu'n ôl tua'r gorllewin – y tu hwnt i Ddyfrdwy ac yn raddol y tu hwnt i afon

---

Ar ôl gadael y Waun (ar yr hen A5) a chroesi'r ffin i swydd Amwythig, trowch i'r chwith ar yr ynys wrth Weston Rhyn (arwyddion St Martin's/Llanfarthin). Ymhen rhyw hanner milltir mae ffordd gul tua'r chwith wedi'i harwyddo 'Glynmorlas'. Mae'r ffordd yn disgyn i lawr i gwm cul ac ymhen rhyw ddwy filltir dowch at ychydig o dai a phont hynafol dros afon Ceiriog. Mae lle i barcio un car yr ochr draw i Bont y Blew. Yn ôl dros y bont, mae llwybr yn arwain yn gyfochrog ag afon Ceiriog ar draws y cae at ryd ar nant Morlas (Cyf. Grid 782 794). Yr ochr draw i'r rhyd mae tomen bridd uchel lle'r oedd tŵr pren yn cadw gwyliadwriaeth yn y chweched ganrif: Rhodwydd Forlas.

Rhyd Forlas

Ceiriog. Un o'r nentydd sy'n llifo o'r dwyrain i afon Ceiriog yw Morlas a byddai'n rhaid i'r Northymbriaid ei chroesi er mwyn rheibio rhagor o diroedd y Cymry.

Yn ystod teyrnasiad Offa ar deyrnas Mersia (757–796), codwyd y clawdd enwog. Mae'r hanes yn yr englynion yn dangos bod yr ymladd yn digwydd eisoes yn ardal Clawdd Offa. Roedd Gwên yr englynion yn amddiffyn Rhyd Forlas; heddiw mae ffin Cymru/Lloegr yn parhau i fynd ar hyd gwely nant Morlas yn y rhyd hwnnw.

Trechu'r Llychlynwyr

Lleoliad: Llandudno
Brwydr: Cymry (Rhodri Mawr)/Llychlynwyr
Dyddiad: 856

Y brenin cyntaf i reoli bron y cyfan o diriogaeth y Gymru newydd, a fframiwyd gan y môr ar dair ochr a Chlawdd Offa ar y llall, oedd Rhodri Mawr (m. 878). Roedd yn dilyn nifer o frenhinoedd cryf a ddaliodd eu tiroedd drwy gyfnodau anodd, megis Cadwaladr Fendigaid (m. 664) a gariai faner y Ddraig Goch ar flaen ei fyddin, a Rhodri Molwynog (m. 754) a enillodd dair brwydr bwysig yn erbyn y Saeson, dwy ym Maesyfed ac un yng Nghernyw.

Nodi ffin oedd fwy neu lai wedi'i sefydlu erbyn hynny a wnaeth Offa yn yr wythfed ganrif. Clawdd pridd ydoedd, nid un carreg fel Mur Hadrian, ac nid oedd ceyrydd gwarchodol wrtho – er bod cosbau am ei groesi. Yr oedd yno lawn cymaint i atal uchelgais y Saeson i ddwyn tir y Cymry ag ydoedd i atal y Cymry rhag dwyn gwartheg y Saeson. Ond parhaodd y cyrchu ar draws y Clawdd o dro i dro – lladdwyd Offa ei hun ym mrwydr Rhuddlan pan arweiniodd ei fyddin cyn belled â'r fan honno.

Cynorthwyodd y Clawdd yr hunaniaeth Gymreig i ffynnu ac ymestyn.

Rhwng 800 ac 1282, profodd Cymru gyfnod cyffrous ac ysbrydoledig yn ôl John Davies – blodeuodd barddoniaeth a chwedloniaeth yma; sefydlwyd taleithiau pwerus a datblygodd rheolwyr hirben; trefnwyd yr arferion llwythol i greu Cyfraith Hywel y mae iddi barch rhyngwladol o hyd; cryfhaodd cymeriad Cymreig yr eglwysi, yr esgobaethau a'r abatai a helaethodd y llyfrgell o lyfrau Cymraeg oedd ar gael.

Cystwyir mân frenhinoedd Cymru yn aml am ffraeo ac ymladd ymysg ei gilydd yn lle uno i wynebu'r gelyn cyffredin. Roedd Rhodri Mawr yn enghraifft dda o uno teyrnasoedd drwy briodas a thrafodaeth yn ôl John Davies, sy'n nodi bod hynny'n arfer digon cyffredin. Daeth Merfyn Frych, ei dad, o Fanaw gan briodi Nest o Bowys a phriododd Rhodri yntau ag Angharad o Seisyllwg (cyfuniad o Geredigion ac Ystrad Tywi). Mae traddodiad iddo gyfarfod uchelwyr Powys ger Maen Bwlch Gwynedd ar y Berwyn er mwyn etifeddu'r dalaith honno ar farwolaeth ei ewythr yn 855. Erbyn diwedd ei oes roedd yn frenin ar deyrnas a ymestynnai o Fôn i Benrhyn Gŵyr. Enillodd y teitl 'Mawr' gan groniclwyr ar ei farwolaeth am ei gyfraniad i atgyfnerthu grym gwleidyddol cenedl y Cymry. Sefydlodd lys Gwynedd yn Aberffraw yng ngorllewin Môn ac ef a gododd y castell cyntaf yn Ninefwr fyddai'n dod yn ganolfan i rym y Cymry yn y Deheubarth, a llys i dalaith Powys ym Mathrafal. Trefnodd lywodraeth Cymru a phennu mannau cyfarfod a thrafod os byddai anghydfod yn codi rhwng y taleithiau.

Enillodd Rhodri Mawr enwogrwydd drwy orllewin Ewrop fel rhyfelwr, ac yn arbennig am ei fuddugoliaeth fawr dros y Llychlynwyr yn 856. Roedd y cychwyr rhyfelgar hynny wedi dechrau ymosod ar Loegr o 789 ymlaen, gan ladd, llosgi, dwyn pobl yn gaethion ac ysbeilio trysorau mynachlogydd ac eglwysi. Roeddent hefyd yn sefydlu trefi a phorthladdoedd, yn gwladychu a masnachu. Erbyn 840, roedd eu cymunedau wedi hen wreiddio yn ynysoedd yr Alban ac Iwerddon. O 865 ymlaen, daeth gogledd a dwyrain Lloegr i feddiant y Daniaid, ac o 911 ymlaen daeth

Y maen ffin ym Mwlch Maen Gwynedd

darn helaeth o ogledd Ffrainc i'w dwylo. Hwy oedd meistri moroedd y gorllewin.

Er bod Cymru wedi'i lleoli yng nghanol y moroedd hynny, ni fu trefedigaethau Llychlynaidd sylweddol yma. Nid oedd y glannau'n cynnig porthladdoedd hwylus i'w llongau hirion nac afonydd mawr y gellid eu hwylio i'r berfeddwlad. Yma hefyd roedd brenhinoedd pwerus gyda lluoedd chwim oedd yn medru ymateb i'w bygythiad a'u hwynebu ar faes y gad. Yn 856, wynebodd Rhodri Mawr a'i fyddin Gymreig y rhyfelwyr Llychlynaidd a'u harweinydd Horm oedd wedi glanio ym Môn ac anrheithio'r ynys.

Cysylltir enw Horm â phenrhyn y Gogarth ar y Creuddyn ger Llandudno heddiw (*Great Orme*). Ystyr *orme* yn iaith y Llychlynwyr yw 'draig fôr' ac mae cofnod mai rhywle ar y penrhyn hwnnw, ger Llandudno heddiw efallai, y trechodd Rhodri'r Llychlynwyr. Ar ôl hynny, cryfhaodd Rhodri lynges y Cymry gan warchod y glannau o'r Traeth Mawr ger Aberffraw. Trechodd y Llychlynwyr drachefn yn 872, ond bu'n rhaid iddo ffoi i Iwerddon dros dro ar ôl colli'r dydd yn eu herbyn yn 877.

Lladdwyd Horm yn y frwydr wrth droed y Gogarth

Cymryd

Lleoliad: Aber afon Conwy
Brwydr: Cymry (Anarawd)/Byddin Mersia
Dyddiad: tua 881

Wedi i'r Cymry golli arweinydd mor alluog a llwyddiannus â Rhodri Mawr, roedd mwy nag un fyddin yn fodlon mentro ar y wlad i weld sut y byddai'r genhedlaeth nesaf yn amddiffyn ei hun. Tua 881, daeth Aethelred, brenin Mersia, a'i fyddin i ymosod ar Wynedd. Anarawd, mab Rhodri, oedd brenin Gwynedd bellach a'i frodyr, Cadell a Merfyn, oedd yn rheoli Ceredigion/Ystrad Tywi a Phowys. Mae'r croniclau'n cofnodi i'r tri brawd gydweithio'n llwyddiannus yn erbyn eu gelynion.

Daeth byddin Anarawd i wynebu byddin Aethelred yng Nghonwy, a'r Cymry fu'n fuddugol. Galwyd y fuddugoliaeth honno yn 'Dial Rhodri'.

Ciliodd y Mersiaid cyn belled â dyffryn Clwyd cyn dychwelyd i herio Gwynedd ar lannau Conwy am yr eilwaith. Y tro hwn, man y brwydro oedd dwy filltir i fyny'r aber, lle mae'r afon yn lledu, yn llawn gwlâu mwd a thywod ac yn codi a gostwng yn ôl y llanw. Yno yng Nghymryd ger ffermdy hynafol o'r un enw (Cyf. Grid 793 758), sef y rhyd isaf ar yr afon nad oedd yn bosib ei groesi ond ar drai eithaf, aeth y Cymry i gyfarfod â'r gelyn wrth iddynt groesi at y lan orllewinol.

Roedd y rhyd yn drofaus a pheryglus ac yn hanner milltir o hyd. Oherwydd y pyllau o boptu iddynt, nid oedd milwyr Mersia yn medru rhuthro ymlaen o'r cefn i atgyfnerthu blaen eu byddin.

Yn raddol, câi'r Saeson eu gwthio'n ôl i'r rhyd. Trodd y llanw hefyd o blaid y Cymry. Lladdwyd llu helaeth o'r Mersiaid gan lafnau'r Cymry, neu cawsant eu boddi yn lli'r afon.

Edrych i lawr ar Gymryd (a Llansanffraid Glan Conwy yr ochr draw) o lan orllewinol yr afon

Rhyd-y-groes

Lleoliad: *Rhyd-y-groes, Ffordun*
Brwydr: *Cymry/Saeson*
Dyddiad: *1039*

Pan ddaeth Gruffudd ap Llywelyn yn frenin Gwynedd a Phowys yn y 1030au, gwnaeth hi'n eglur o'r dechrau na fyddai'n fodlon ar y diriogaeth honno'n unig. Roedd am ddilyn Rhodri Mawr i uno Cymru'n un wlad gyfan ac yn ystod ei oes llwyddodd i wneud hynny, gyda'i diroedd yn cynnwys y pedair prif deyrnas. Roedd yn effeithiol, ymosodol a didrugaredd ond llwyddodd i fynd gam ymhellach na Rhodri hyd yn oed.

Wrth sefydlu'i awdurdod dros Gymru, ei uchelgais ar hyd ei oes oedd gwanhau'r bygythiad iddo dros Glawdd Offa. Byddai'n ymosod ar fyddinoedd Mersia'n gyson, ac o 1055 ymlaen roedd hyd yn oed yn ehangu'i ffiniau dwyreiniol ac yn dwyn yn ôl rai o'r tiroedd roedd y Cymry wedi'u colli yn swydd Henffordd ers cenedlaethau.

Amddiffyn Cymru drwy ymosod oedd tacteg Gruffudd. O'i gadarnleoedd, croesai'r ffin a chwalu cestyll a threfi'r Sacsoniaid ac ennill sawl brwydr fechan cyn dychwelyd i'w wlad ei hun. Yn 1039, codwyd byddin fawr ym Mersia i orymdeithio i Gymru i ddial ar Gruffudd ap Llywelyn a'i luoedd.

Mae'r hen ffordd Rufeinig tua'r gorllewin o Amwythig yn rhedeg yn gyfochrog ag afon Camlad tua phum milltir i'r de o'r Trallwng. Yn y dyffryn coediog hwnnw mae ffordd Rufeinig o'r de i'r gogledd yn ei chroesi mewn lle o'r enw Rhyd-y-groes (Cyf. Grid 201 001). Yma, mewn pant (lle mae maes carafanau heddiw) i'r gogledd o'r ffordd o Amwythig y cuddiodd Gruffudd ei fyddin er mwyn ymosod yn galed a dirybudd ar y Sacsoniaid.

Mae'r hanesydd brwydrau Martin Hackett yn creu darlun o filwyr Mersia'n gorymdeithio'n llinyn hir ar hyd y ffordd Rufeinig. Milwyr traed yn cario gwaywffyn fyddai'r rhan fwyaf ohonynt gyda dim ond carfan ddethol Eadwine, yr arweinydd, ar gefn ceffylau. Byddai gan y Cymry fantais y tir, gan eu bod ar ben cefnen yn y dyffryn, a byddai'r coed yn gysgod iddynt yn ogystal.

Pe bai'r Mersiaid wedi cerdded o Amwythig (sydd 20 milltir i ffwrdd) y

Afon Camlad ger Rhyd-y-groes

diwrnod hwnnw, byddai'n hwyr y dydd erbyn hynny, a'r gorymdeithwyr yn flinedig. Tybir na fuasai byddin Gruffudd yn niferus iawn (500/600 efallai, gan nad oedd ar anterth ei yrfa bryd hynny), ond buasai gan Eadwine ryw 1,000 yn ei fyddin ef cyn y byddai wedi mentro dros Glawdd Offa.

Gadawodd Gruffudd i'r milwyr ar y blaen fynd heibio ac yna heb rybudd byddai cawod o saethau, ergydion sling a phicelli yn disgyn ar linell hir y goresgynwyr. Cawod arall ac yna byddai gwŷr gwaywffyn hirion Gruffudd yn carlamu i lawr y llethr fel roedd y Sacsoniaid yn dechrau dygymod â'r hyn oedd yn digwydd.

Afon fechan gyda gwely o glai yw Camlad, ond mae torlannau serth iddi a phyllau dwfn yn ei dolenni. Pan dorrodd rhengoedd y Sacsoniaid, boddwyd llawer ohonynt wrth iddynt geisio ffoi dros yr afon. Lladdwyd Eadwine ac roedd yn fuddugoliaeth lwyr i Gruffudd a'r Cymry – y fuddugoliaeth gyntaf o nifer a brofodd Gruffudd a'i fyddin yn erbyn y Saeson.

1. Cefnen a llechwedd y Cymry uwch llwybr y Saeson; 2. Yr hen groesffordd Rufeinig; 3. Maes y gad rhwng y llechwedd a'r afon

Bron-yr-erw

Lleoliad: *Bwlch Mawr ger Clynnog Fawr*
Brwydr: *Gruffudd ap Cynan/Trahaearn*
Dyddiad: *tua 1075*

Un o'r ffactorau o blaid y Cymry, wedi i Loegr ddisgyn i ddwylo'r Normaniaid mewn brwydr dyngedfennol yn Hastings yn 1066, oedd eu harfer o ymladd ar diroedd garw. Cleddyfau, bwâu bach, gwaywffyn a bwyeill oedd eu harfau arferol, gan deithio ac ymladd ar droed yn amlach na pheidio ac amddiffyn eu hunain gyda thariannau pren ysgafn a siercynau lledr. Byddinoedd ysgafn, symudol oedd y rhain.

Daeth y Normaniaid â thactegau gwahanol i'r maes. Roeddent yn ffafrio marchogion mewn arfwisgoedd haearn – helmed corn simnai, a phlât cul ar hyd y trwyn; gwisg haearn dolennog laes, tarian hir, drionglog a chleddyf hir a thrwm. Ffafrient frwydrau agored ar feysydd gwastad. Wrth dreiddio i dir y gelyn, eu trefn oedd creu gwersyll gwarchodol a fyddai mewn ychydig ddyddiau'n cael ei saernïo'n gastell mwnt a beili. Wrth dyllu ffos amgylchynol, byddai'r pridd a'r cerrig yn cael eu codi'n domen serth 15–30 metr o uchder, a chodid twr o goed ar ei chopa. Ffens goed o amgylch y cyfan a dyna safle cryf mewn llecyn strategol. O greu cadwyn o gestyll o'r fath, gellid cynnal ac amddiffyn byddin niferus yn nhir eu gelynion.

Roedd trefn wleidyddol, ffiwdal y Norman yn arwain at ufudd-dod llwyr i'r teyrn ar y brig. Deuai casineb a chreulondeb yn amlycach lle byddent yn rheoli. O dan y brenin, roedd haen o farwniaid nerthol a oedd yn cael llaw rydd i ymestyn eu tiriogaeth, cyhyd â'u bod yn gwbl ffyddlon i'r unben. Sefydlwyd tri chastell nerthol ar hyd gororau Cymru dan reolaeth tri iarll pwerus – Huw Fras yng Nghaer, Roger de Montgomery yn Amwythig a William FitzOsbern yn Henffordd. Eu tasg oedd dal y ffin rhag ymosodiadau'r Cymry ac ymestyn eu gafael tua'r gorllewin pan fyddai cyfle i wneud hynny.

Nid oedd gwlad unedig nac arweinydd amlwg yng Nghymru pan ddechreuodd y

1. Enghraifft nodedig o gastell tomen a beili yng Nghas-wis, Penfro; 2. Twtil: safle'r castell Normanaidd cyntaf yn Rhuddlan

Normaniaid dreiddio i diroedd isel, dwyreiniol y wlad. Roedd Trahaearn ap Caradog yn ymladdwr llwyddiannus yn Arwystli (de Powys) a phan ddaeth coron teyrnas Gwynedd yn wag, roedd mewn lle cryf i fachu honno. Dyna pryd y daeth Gruffudd ap Cynan o Ddulyn i hawlio'r dalaith gyda byddin o Wyddelod, Daniaid a Chymry Môn ac Arfon.

Trechwyd ei dad, oedd o linach brenhinoedd Gwynedd, a ffodd i Ddulyn gan briodi Rhagnell, merch o dras frenhinol y Llychlynwyr. Ganwyd Gruffudd yno tua 1055 ac yn 1075 daeth i Abermenai gyda llynges o Wyddelod a Llychlynwyr. Roedd Robert o Ruddlan, castellwr cyfrwys a nai Huw Fras o Gaer, eisoes wedi sefydlu cestyll mwnt a beili yn Rhuddlan a Deganwy a gwelodd ei gyfle i ddefnyddio Gruffudd at ei ddibenion ei hun. Cyfrannodd filwyr ac arfau iddo ac aeth yr alltud yn ei flaen i drechu byddin Cynwrig yn Llŷn. Lladdwyd dau gant ac ugain o Wyddelod a llu personol Gruffudd gan lu Cynwrig.

Llawenhaodd Trahaearn o glywed hyn ac ymunodd â brenin Powys a gwŷr Meirionnydd, Llŷn ac Eifionydd i ymosod ar Wynedd. Daethant wyneb yn wyneb â byddin Gruffudd a gweddill teyrnas Gwynedd ym Mron-yr-erw ar lethrau dwyreiniol Bwlch Mawr uwch Clynnog Fawr. Bu'n frwydr waedlyd gyda llawer o filwyr o bob tu'n cael eu colli. Roedd Gruffudd ap Cynan yng nghanol yr ymladd poethaf a'i gleddyf yn ysgubo'n ôl ac ymlaen, a sylweddolodd y rhai agosaf ato ei fod mewn perygl enbyd am ei fywyd. Cydiodd Gwyncu, un o uchelwyr Môn, ynddo a'i dynnu o'r maes yn anfoddog a'i lusgo i long yn Abermenai.

Hwyliodd Gruffudd yn ôl i Iwerddon gan lanio yn Wexford. Roedd wedi cipio coron Gwynedd a'i cholli o fewn blwyddyn gron. Ond nid oedd hynny ond dechrau'r daith i'r ymladdwr di-ildio hwnnw.

Edrych i lawr o faes y gad ym Mron-yr-erw at Abermenai lle byddai Gruffudd wedi glanio gyda'i lynges o Ddulyn

Mynydd Carn

Lleoliad: Garn Fawr, Dinas, Penfro
Brwydr: Gruffudd a Rhys/Trahaearn
Dyddiad: 1081

Rhoddodd Gruffudd ap Cynan gynnig arall ar feddiannu Gwynedd gyda llynges o Wyddelod a Llychlynwyr yn fuan ar ôl colli brwydr Bron-yr-erw. Cyrhaeddodd Abermenai gyda llynges o ddeg ar hugain o longau a galwodd Trahaearn ei gefnogwyr o Lŷn ac Ardudwy i'w wersyll ym Meirionnydd. Galwodd Gruffudd ar ei bleidwyr yntau o ran arall o Lŷn ac o Arfon i'w wersyll ym Môn. Yn ôl pob tebyg, roedd ymgyrch faith ar y gweill.

Doedd hynny ddim yn plesio'r Llychlynwyr a oedd yn awyddus i ymladd yn union ar ôl glanio a chael eu cyfran o'r ysbail a addawyd iddynt. Wrth weld nad oedd brwydr i fod am beth amser, aethant ati i anrheithio Môn – sef cadarnle Gruffudd. I gwblhau cyrch ysbeilgar a chwerw, cafodd Gruffudd ei hun ei herwgipio ganddynt a'i gario'n ôl dros y môr i Ddulyn. Gwelodd y Normaniaid eu cyfle gan nad oedd byddin yng Ngwynedd – daeth Huw Fras a Robert o Ruddlan a barwniaid eraill â'u milwyr cyn belled â Llŷn gan ladd ac anrheithio. Yn ôl yr hanes, buont yng nghantref Llŷn am wythnos gan

adael y wlad yn anghyfannedd ac wedi'i ddiffeithio am wyth mlynedd.

Ni fedrodd Gruffudd ddychwelyd i Wynedd yn y cyfnod hwnnw ond yn 1081, hwyliodd o Waterford gyda llu o Wyddelod, Llychlynwyr a Chymry gan lanio ym Mhorth-clais, ger Tyddewi. Cawn ei hanes yn cyfarfod â Rhys ap Tewdwr o linach brenhinoedd y Deheubarth yno. Bu Rhys ar ffo yn Llydaw am hanner can mlynedd cyn dychwelyd i hawlio talaith y Deheubarth yn 1079 ond câi ei wasgu gan Drahaearn, Meilyr (Powys) a Charadog (Gwent a Morgannwg) oedd wedi dod â byddin fawr yn ei erbyn. Pan ddeallodd Gruffudd ei fod ef a Rhys yn rhannu'r un gelynion, cytunwyd i gynghreirio ac i orymdeithio ar unwaith i'r gogledd-ddwyrain o Dyddewi tua gwersyll y gelyn ar Fynydd Carn.

Mae cryn ddyfalu lle'n union roedd safle'r frwydr. Cynigwyd llwyfandir grugog ger maes awyr yr Awyrlu Brenhinol i'r de-orllewin o Dredeml (*Templeton*) gan Gomisiwn Henebion Cymru. Arferai

Yr olygfa tua'r dwyrain o'r Garn Fawr

carnedd fawr fod ar y safle cyn i honno gael ei chwalu gan yr awyrlu. Nid yw'n lleoliad mynyddig, serch hynny, ac mae 35 km o Dyddewi. Cynigwyd hefyd bod y frwydr wedi'i hymladd ar lethrau Carningli, uwch Trefdraeth ar yr arfordir gogleddol, neu i'r gogledd o Gwm Gwaun, rhwng meini Parc y Meirw a chopa Mynydd Llanllawer sy'n dwyn yr enw Garn Fawr.

Er ei bod hi'n demtasiwn i rai ddewis gweld cyfeiriad at feddau milwyr y frwydr yn yr enw 'Parc y Meirw', mae'r meini'n dyddio'n ôl i'r Oes Efydd ac wedi'u gosod mewn llinellau â mynyddoedd Iwerddon yn ôl yr arbenigwyr. Eto, mae'r Garn Fawr yn gweddu i sawl elfen yn yr hanes. Taith diwrnod o Dyddewi yw'r Garn Fawr. Mae yno wastadedd ar ochr ddwyreiniol y mynydd, sy'n lle addas i fyddin wersylla. Yn yr ardal gyfagos mae 'glynnoedd, gwerni a mynyddoedd' lle'r ymlidiwyd milwyr y gelyn ar ôl i'r rhengoedd chwalu. Nodir hefyd bod 'carnedd fawr' yno ac mae honno i'w gweld yn glir ar y copa, sy'n lle arferol i gladdu arwr o'r Oes Efydd.

Mae'r Garn Fawr ar esgair orllewinol cadwyn o fynyddoedd yng ngogledd y Preseli. O ddilyn y B4313 o Abergwaun am Lanychâr, rhaid troi i'r chwith dros bont Llanychâr a dringo'r rhiw. Yn y fforch gyntaf, troi i'r dde ar hyd ffordd gul, gan ddal i ddringo. Ymhen hanner milltir gwelir meini hirion Parc y Meirw ar y dde. Ychydig ymhellach mae cyfrwy llydan a gwastad o dir ar groesffordd. Mae'r Garn Fawr draw ar y chwith ac mae golygfeydd ysblennydd yma. Bu Gruffudd, Rhys a'u byddinoedd yn teithio drwy'r dydd ac felly byddai'r machlud y tu cefn iddynt wrth nesu at y Garn Fawr a gweld arfau'r gelynion yn sgleinio ym mhelydrau'r hwyr o'u blaenau. Yn ôl yr hanes, roedd Rhys o blaid oedi a gorffwyso'i ddynion a gohirio'r ymladd tan drannoeth gan fod y dydd yn darfod.

Roedd ymateb Gruffudd yn nodweddiadol ohono. Câi Rhys orffwyso am ugain niwrnod os mynnai, ond roedd ef a'i filwyr am fynd ar eu pennau i ryfela. A dyna fu, er mawr syndod i'w gelynion. Daeth y taleithiau gorllewinol a'r taleithiau dwyreiniol benben â'i gilydd mewn ysgarmes enbyd yng ngolau'r lleuad.

Cleddyfau Cymry Gwynedd, bwyeill daufiniog y Llychlynwyr a pheli cyllellog y Gwyddelod a fu drechaf. Lladdwyd y tri brenin dwyreiniol, cwympodd cannoedd o'u marchogion a'u milwyr ac ymlidiwyd milwyr drwy'r cymoedd ac ar hyd y llethrau drwy'r nos ac ar hyd y dydd canlynol. Prin yr aeth yr un ohonynt yn ôl i'w wlad ei hun.

Hanai Gruffudd a Rhys o linach Rhodri Mawr, ac ar ôl y frwydr y ddwy gangen hon o'r teulu fyddai'n gwarchod buddiannau Gwynedd a'r Deheubarth rhag rhaib y Normaniaid hyd gwymp Llywelyn yn 1282. Ailfeddiannodd Rhys ap Tewdwr ei dalaith ac yn ddiweddarach y flwyddyn honno, cafodd ei gydnabod yn frenin dilys arni gan Gwilym Goncwerwr ar ei ymweliad â Thyddewi.

Dychwelodd Gruffudd ap Cynan i Wynedd, ond nid oedd ei ddyddiau cythryblus ar ben eto. Cafodd ei dwyllo i gyfarfod Robert o Ruddlan i 'drafod heddwch' yn y Rug, ger Corwen. Gyda'i fintai heb arfau, llamwyd arnynt gan y Normaniaid a chipiwyd Gruffudd i'w garcharu am flynyddoedd yng nghastell Caer. Y peth cyntaf a wnaeth ar ôl dianc oddi yno oedd ymosod ar Robert a'i lu yn ymyl Deganwy, a'i ladd.

Safle castell y Cymry ar fryniau Deganwy uwch aber afon Conwy

Maes Gwenllian

Lleoliad: *Cwm Gwendraeth Fach*
Brwydr: *Cymry/Normaniaid*
Dyddiad: 1136

Mae Gwenllian yn un o'r merched sydd wedi gadael argraff ddofn ar gof a meddylfryd y Cymry. Doedd cael merched yn arwain byddinoedd ddim yn beth dieithr yn y traddodiad Celtaidd ac mae Cyfraith Hywel Dda yn flaengar yn ei chyfnod o ran y statws a gaiff merched yn y gymdeithas Gymreig. Ond mae'r hanes arbennig hwn yn cyfuno dewrder a galar, colli ac adennill ac mae'n cyffwrdd y galon.

Yn 1113, ymwelodd Gruffudd ap Rhys, brenin y Deheubarth, â Gruffudd ap Cynan, brenin Gwynedd, a'i deulu yn y llys yn Aberffraw. Cofiai'r brenin gogleddol am gefnogaeth Rhys ap Tewdwr, tad y brenin deheuol, a'i cynorthwyodd i'w sefydlu ei hun yng Ngwynedd a chafodd y mab groeso anrhydeddus. Yno y cyfarfu'r deheuwr â Gwenllian, merch brenin Aberffraw – merch eithriadol o brydferth yn ôl yr hanes. Syrthiodd y ddau mewn cariad â'i gilydd a rhedeg i ffwrdd yn ôl i'r Deheubarth heb ganiatâd y tad. Arweinydd byddin o filwyr garw oedd yn byw bywyd crwydrol ac ymladdgar yng nghoedwigoedd a chymoedd y Deheubarth oedd Gruffudd ap Rhys ar y pryd. Ymosodai ar gestyll y Normaniaid yn Abertawe, Caerfyrddin, Llanymddyfri a Phenweddig a diflannu i'r gwyllt. Rhannodd Gwenllian y bywyd rhyfelgar, peryglus hwn gyda'r fyddin am dros ugain mlynedd, gan ymladd ar flaen y milwyr wrth ochr Gruffudd.

Pan fu farw Harri I yn 1135, bu sawl cynnen rhwng y barwniaid Normanaidd, a gwelodd Gruffudd a Gwenllian eu cyfle i daro'r gelyn. Roedd Hywel ap Maredudd o Frycheiniog wedi ennill buddugoliaeth dyngedfennol yn erbyn Normaniaid Gŵyr ym mrwydr Garn Goch ger Casllwchwr ar ddydd Calan 1136, lle'r oedd y meirch, meddir, at eu bacsiau mewn gwaed. Penderfynodd Gruffudd ap Rhys fynd â'i fab hynaf a'i fab ieuengaf gydag ef i weld ei dad-yng-nghyfraith yn Aberffraw i geisio'i gynhyrfu i ymuno yn y cyrchoedd yn erbyn y Normaniaid. Gadawodd ei ddau fab canol, Maelgwn a Morgan, gyda Gwenllian a'i fyddin yn ardal Caeo yng nghoedwigoedd gogleddol sir Gaerfyrddin.

Tra oedd Gruffudd yn y gogledd,

arweiniodd Maurice de Londres a rhai barwniaid Normanaidd eraill gyrchoedd ffyrnig yn erbyn y Deheubarth. Gwyddai Gwenllian na allai'r Cymry osgoi brwydr agored yn fuan a galwodd gapteiniaid y fyddin ati. Roedd y brif osgordd orau wedi mynd i hebrwng Gruffudd i Aberffraw, ond roedd gweddill y fyddin yn ffyddlon iddi. Cyrhaeddodd y newydd bod mintai niferus Maurice wedi glanio ger castell Cydweli a gwyddai Gwenllian nad oedd ganddi ddewis bellach ond arwain byddin y Deheubarth yn eu herbyn.

Ymunodd llawer o werin gwlad sir Gaerfyrddin â hi wrth iddi hi a Maelgwn (18 oed) a Morgan (16 oed) arwain y ffordd i lawr at Gwm Gwendraeth Fach. Wrth nesu at ddolydd Cydweli, gallent weld gwersyll y Normaniaid a sylweddolent fod llawer mwy ohonyn nhw nag oedd ym myddin y Deheubarth. Awgrym Martin Hackett yw bod y Cymry wedi gwersylla ar y llechweddau serth i'r dwyrain o Faes Gwenllian, o dan grib Glanhiraeth sydd wrth Fynyddygarreg.

Bu'r frwydr yn golled enbyd i Gymry'r Deheubarth – nid oedd ganddynt mo'r arfau, y profiad na'r niferoedd oedd gan y Normaniaid. Ond roedd ganddynt Gwenllian a'i meibion i'w harwain ac yn ôl yr hanes, gwnaeth y tri ohonynt hynny yn ddewr ac i'r eithaf. Lladdwyd cannoedd o'r Cymry gan gylmwys Maolgwn, a'r traddodiad yw bod y Normaniaid wedi dal Gwenllian a thorri'i phen wedi'r frwydr. Cawsant i gyd eu claddu mewn bedd torfol ar Faes Gwenllian. Daliwyd Morgan hefyd a'i ladd o flaen ei fam ar faes y gad.

Mae'n sicr bod dewrder Gwenllian a'r dull y cafodd ei thrin gan y Normaniaid wedi ffieiddio a rhoi haearn yng ngwaed y Cymry. Llifodd y Cymry i fyddinoedd ei gŵr a'i brodyr a dyma ddechrau cyfnod o daro'n ôl gan ennill buddugoliaeth ar ôl buddugoliaeth. Rhyfelgri'r Cymry, yn ôl yr hanes, yn y brwydrau hynny oedd 'Gwenllian!'

Fferm Gwenllian o Fynyddygarreg, a maes brwydr Gwenllian ar y dde iddi gyda chastell Cydweli yn y pellter

Crug Mawr

Lleoliad: I'r gogledd o Aberteifi; Cyf. Grid 206 474
Brwydr: Cymry/Normaniaid
Dyddiad: 1136

Yn Ebrill 1136, ymosodwyd ar osgordd Richard FitzGilbert, arglwydd Ceredigion, a'i ladd gan Gymry Gwent yng Nghoed Grwyne uwch Crucywel.

Dyma, o bosib, un o'r troeon cyntaf i arf newydd gael ei ddefnyddio gan y Cymry, arf a fyddai'n chwyldroi tactegau brwydro yn Ewrop dros y canrifoedd dilynol. Y bwa hir oedd yr arf hwnnw, ac yn ne Cymru y cafodd ei ddyfeisio a'i ddefnyddio gyntaf. Am ganrifoedd, bu'r 'bwa bach' yn ddigonol yn erbyn milwyr na wisgent fwy na siercynau lledr i amddiffyn eu cyrff. Ond pan gyrhaeddodd y Normaniaid gyda'u gwŷr meirch a'u harfwisgoedd haearn a'u milwyr traed gyda'u gwisgoedd haearn dolennog, roedd yn rhaid cael bwa mwy o ran hyd a thrwch i gael pŵer i hyrddio'r saethau rhwng y cadwyni amddiffynnol.

Yr ateb a gafwyd yng Ngwent a Morgannwg oedd creu bwa o daldra dyn, chwe throedfedd o hyd. Gallai saethwr profiadol ollwng 15 saeth y funud nes byddai'r awyr yn ddu. Gallai saethau'r bwâu hirion anafu milwr 150 metr i ffwrdd, a bylchu drwy arfwisg a suddo i'r cnawd hyd at eu plu o bellter o 50 metr. Yn 1188, yn ôl tystiolaeth Gerallt Gymro, daeth blaenau saethau y Cymry i'r golwg ar ochr fewnol drws derw pedair modfedd o drwch pan oedd gwarchae ar gastell y Fenni. Tystiai Gerallt mai saethwyr bwa Gwent a Morgannwg oedd y pencampwyr ac roedd y Normaniaid yn eu harswydo. Pan gyfarfu'r penaethiaid Cymreig â William de Brensa yng nghastell y Fenni, mynnodd y Norman eu bod yn tyngu na fyddai'r un o'u dilynwyr yn cario bwa saeth fyth eto!

Er cymaint o refru sydd gan rai o haneswyr ymerodrol Lloegr am yr 'English Longbow', does neb yn gwadu mai dyfais y Cymry wrth amddiffyn eu gwlad a'u rhyddid oedd yr arf yn wreiddiol. Dan saethau'r bwa hir y cwympodd marchogion mewn arfwisgoedd trymion wrth geisio meddiannu coedwigoedd a chymoedd y Cymry. Nid oedd platiau haearn nac arfwisgoedd haearn dolennog trwchus yn medru gwrthsefyll ergydion saethau'r bwa hir.

Crug Mawr a maes y gad ger Aberteifi

Er bod bwâu yn gyffredin ar sawl cyfandir, datblygodd bwa arbennig o gryf yn nyffrynnoedd Gwent, Morgannwg a Thywi. Defnyddid rhuddin o foncyff llwyfanen neu ywen o diroedd garw a chysgodol, lle byddai'r goeden wedi tyfu'n araf gan olygu bod graen y pren yn glòs ac yn gryf.

Roedd trin y bwa'n rhan o addysg a champau pob plentyn wrth dyfu'n ddyn. Datblygodd o grefft helwriaeth, wrth gwrs, a hyd yn oed pan nad oedd angen hela'n ddyddiol er mwyn bwyta, roedd yr arfer o hela yn boblogaidd iawn fel gweithgaredd hamdden yng Nghymru'r Oesoedd Canol. Byddai'r bwa'n cael ei ymarfer yn ddyddiol, gyda chystadlaethau saethu ar ôl gwasanaeth yr eglwys ar y Suliau.

Yn ôl y dystiolaeth, bwâu byr a gwan oedd y rhai a ddefnyddid gan y ddwy ochr yn ystod brwydr Hastings 1066. Milwyr wedi'u harfogi'n ysgafn ar gyfer symud yn gyflym a tharo'n chwim oedd gan y Cymry. Roedd y bwâu yn arbennig o effeithiol ar gyfer y dull hwn o ryfela. Doedd gan y marchogion Normanaidd ddim gobaith o drechu byddinoedd y Cymry ar eu tiroedd eu hunain – yr unig dacteg effeithiol iddynt

oedd rhannu tywysogaethau'r Cymry a defnyddio saethwyr y rhanbarthau a drechwyd yn y dwyrain i ymosod ar fyddinoedd annibynnol y gorllewin.

Roedd llu o saethwyr bwa ardderchog Gwent dan arweiniad Morgan ab Owain pan gornelwyd FitzGilbert yng Nghoed Grwyne. Lladdwyd y Norman a'i osgordd gyfan gan y cawodydd saethau. Bellach roedd milwr ar droed, mewn lledr ysgafn, yn medru herio a threchu marchogion o dras.

Parhaodd ymosodiadau'r Cymry ar y Normaniaid i ddial am y driniaeth a gafodd y dywysoges Gwenllian. Croesodd byddin Gwynedd afon Dyfi dan arweiniad Owain a Chadwaladr, brodyr Gwenllian, gan losgi pump o gestyll Normanaidd Ceredigion ar eu taith i'r de.

Erbyn yr hydref, roedd Owain a Chadwaladr, ynghyd â byddin y Deheubarth dan arweiniad Gruffudd ap Rhys, a lluoedd o'r canolbarth, wedi crynhoi i'r gogledd o Aberteifi. Yn eu mysg, roedd gwŷr meirch mewn arfwisgoedd trymion ac roedd catrodau o'r gwŷr traed hefyd mewn arfwisgoedd haearn dolennog. Nid milwyr taro a chilio yn y traddodiad gerila oedd y rhain. Roedd y

Castell y Normaniaid yn Aberystwyth

Cymry y tro hwn ar gyrch cenedlaethol, yn barod i ymladd ar feysydd agored, ac nid oedd bwriad i droi a ffoi. Byddai'r ysbail a ddygwyd o'r cestyll Normanaidd yn cael defnydd da.

Tybir bod byddin o tua 3,000 wedi'i chynnull o bob cwr o dde Cymru gan y Normaniaid yn Aberteifi, gyda thua 500 o'r rheiny yn farchogion. Gorymdeithiodd honno o Aberteifi tua'r gogledd ac roedd siapiau hynod y bryniau o gwmpas y Crug Mawr yn cynnig cuddfannau da i luoedd y Cymry. Mae cofnod bod y Cymry wedi rhannu'u hunain yn dair carfan filwrol drefnus. Efallai fod un garfan yn y bwlch yn wynebu'r dref a'r lleill yn cuddio o boptu'r bryncyn sydd fel twmffat a'i ben i lawr. Unwaith y dechreuodd y brwydro, caeodd y ddwy garfan arall fel dwy grafanc am fyddin y Normaniaid. Yn y frwydr fwyaf ar dir Cymru ers 1066, trodd y Normaniaid a ffoi am y dref. Llwyddodd rhai i gyrraedd y castell ond bu'n rhaid i'r lleill daflu eu hunain i afon Teifi a boddwyd llawer ynddi. Llosgwyd y dref i'r llawr.

Roedd hon yn fuddugoliaeth aruthrol yn dilyn ymgyrch lwyddiannus drwy Geredigion. Ar ôl hynny, newidiwyd map gwleidyddol de Cymru yn llwyr wrth i'r Cymry adfer eu tiroedd a'u cestyll. Disgynnodd Caerfyrddin a chestyll cyfagos i'w dwylo yn 1137 a daeth yr hen ryfelwr Gruffudd ap Cynan, yn ei wythdegau, yr holl ffordd o Aberffraw i lawr i Ystrad Tywi i ddathlu'r buddugoliaethau hyn.

Erbyn 1146 roedd Rhys, mab ieuengaf Gruffudd a Gwenllian, yn ymuno â'r cyrch i gipio castell Llansteffan. Byddai llwyddiant Cymry'r Deheubarth yn parhau o dan ei arweiniad ef dros y degawdau dilynol. Ac yntau'n Arglwydd Rhys erbyn hynny, ymosododd ar gastell Cydweli a'i losgi, ac aeth yn ei flaen i hel y Normaniaid o Aberteifi a chodi castell o feini yno. Hwn oedd y castell cerrig cyntaf i'w godi gan dywysog Cymreig.

Castell Aberteifi

Crogen

Lleoliad: **Dyffryn Ceiriog**
Brwydr: **Cymry (Owain Gwynedd)/Saeson**
Dyddiad: 1165

Bu'n rhaid i dad Owain Gwynedd – Gruffudd ap Cynan – ailsefydlu'i hawliau ar deyrnas Gwynedd fwy nag unwaith yn ystod ei fywyd. Yn fuan wedi'i fuddugoliaeth ar Fynydd Carn, cafodd ei fradychu gan Meirion Goch – un o'i gapteiniaid ei hun – a'i gipio gan Robert o Ruddlan. Treuliodd tua deuddeng mlynedd yn nwylo'r Normaniaid, y rhai olaf yng ngharchar castell Caer oedd yn enwog am fod y carchar mwyaf dieflig ohonynt i gyd. Wedi'i ryddhau oddi yno gan gyrch mentrus Cynwrig Hir a'i gyfeillion, gofalodd na châi ei fradychu fyth eto. Creodd gatrawd o tua 160 o wŷr cwbl driw o'i gwmpas, sef y 'teulu', ac yna gallai chwyddo'i fyddin yn ôl y galw drwy alw ar gynghreiriaid o deyrnasoedd cyfagos. Cryfhaodd ei gysylltiadau drwy briodas a thrwy gael gwared â gelynion, ac erbyn 1099, roedd wedi rhyddhau Gwynedd o afael y Normaniaid.

Erbyn 1124, roedd meibion Gruffudd – Cadwallon, Owain a Chadwaladr – yn ddigon hen a phrofiadol i'w gynorthwyo i ehangu ei diriogaeth. Trosglwyddodd ei benderfyniad a'i ddyheadau i'r genhedlaeth nesaf.

O'r meibion hynny, tyfodd Owain i fod yn arweinydd dylanwadol a llwyddiannus, nid yn unig ar Wynedd ond ar Gymru gyfan. Ychwanegodd Feirionnydd a Cheredigion at ei deyrnas ac erbyn 1146, roedd wedi adfer y ffiniau dwyreiniol nes eu bod wedi cyrraedd glannau Dyfrdwy ger Caer. Pan ddaeth Harri II i orsedd Lloegr yn 1154, roedd Gwynedd yn gryfach a helaethach dan Owain nag y bu ers i'r Normaniaid gyrraedd. Er i Harri ymosod ar Gymru bedair gwaith rhwng 1157 ac 1165, a hynny gyda byddinoedd ac adnoddau sylweddol, ni lwyddodd yn ei uchelgais i drechu a meddiannu'r wlad. Harri II oedd y brenin cyntaf o Loegr i geisio concro Cymru'n llwyr, a theyrnged i allu milwrol a gwleidyddol Owain Gwynedd yw'r ffaith mai'r Cymry fu drechaf yn yr ornest hon.

Roedd gan Harri II ymerodraeth enfawr yn gefn iddo, oedd yn cynnwys ynysoedd Prydain a'r rhan fwyaf o diroedd

1. *Pont Melin y Castell ger Crogen; 2. Plac ar y bont; 3. Ceiriog goediog*

THIS PLAQUE COMMEMORATES

MAE'R PLAC HWN I GOFFAU · THIS PLAQUE COMMEMORATES

THIS BATTLE WAS PART
OF THE BERWYN MOUNTAINS
CAMPAIGN AS WALES FOUGHT FOR ITS
FREEDOM FROM ENGLISH DOMINATION

OWAIN GWYNEDD   GRUFFUDD MAELOR   HENRI II

THE BATTLE of CROGEN

YMA' ROEDD BRWYDR CROGEN RHWNG BYDDIN
HENRI II, BRENIN LLOEGR A BYDDIN CYMRU DAN
ARWEINIAD OWAIN GWYNEDD

NEARBY IN AUGUST 1165 A BLOODY BATTLE WAS FOUGHT
BETWEEN HENRY II, KING OF ENGLAND (R.1154-89) AND
WELSH FORCES UNDER OWAIN GWYNEDD (1137-70)

PLAQUE DESIGNED BY DERON FORSYTH & MARK WILLIAMS
FUNDED BY GLÂNDŴR · CYMRU AND UNVEILED BY
COUNCILLOR ALED ROBERTS, MAYOR, WREXHAM
COUNTY BOROUGH COUNCIL
4 MARCH 2009

OWAIN GWYNEDD · GRUFFUDD MAELOR · HENRI II · CYNGOR CYMRU ·

· LORD RHYS · IORWERTH GOCH · OWAIN CYFEILIOG ·

3

Ffrainc. Cryfder Owain oedd bod ganddo ef a'i gyd-Gymry ysbryd annibynnol a brofodd yn anorchfygol. Llwyddodd i bontio dros y mân gwerylon oedd yn gwahanu ac yn gwanhau ei gyd-arweinwyr a'u hasio'n un corfflu oedd yn rhannu un weledigaeth.

Trechodd Owain y cyrch cyntaf o Loegr ger Dinas Basing ar arfordir y gogledd-ddwyrain. Mor gynnar â hynny yn yr ymrafael hwn, roedd yn amlwg fod adnabyddiaeth y Cymry o dir eu gwlad mor allweddol â diffyg adnabyddiaeth Harri II ohono. Bu Harri'n lwcus i beidio â chael ei ladd ei hun yn y gurfa a dderbyniodd ei fyddin. Yn fuan wedi hynny daeth y newydd fod llynges brenin Lloegr oedd wedi'i hanfon i anrheithio Môn wedi'i dal ar y lan, rhai o'r llongau wedi'u llosgi a'r milwyr wedi'u trechu gan wŷr yr ynys ym mrwydr Tal-y-moelfre.

Wedi'i fethiant cyntaf, aeth Harri II ati i adeiladu a chryfhau ei gestyll yn y gogledd-ddwyrain ond bu Owain yn ddigon hirben i fod yn amyneddgar a disgwyl am ei gyfle. Ceisiodd brenin Lloegr wasgu ymhellach ar y tywysogion Cymreig a'u cael i ildio'u hannibyniaeth yn llwyr a phlygu i awdurdod coron Llundain.

Effaith hynny oedd uno'r Cymry gydag Owain yn arweinydd. Gyda phenderfyniad newydd i ryddhau'r Cymry o gadwyni'r Normaniaid, ymosododd yr Arglwydd Rhys o'r Deheubarth ar gestyll y gelyn yng Ngheredigion yn 1164. Ymosododd byddin Gwynedd ar gestyll brenin Lloegr yn y gogledd-ddwyrain a chyda cynddaredd mawr, paratôdd Harri II i gasglu lluoedd ynghyd i goncro'r Cymry unwaith ac am byth. Casglodd 5,000–6,000 o filwyr ynghyd yn Amwythig er mwyn ymosod ar Gymru. Yn hytrach na dilyn yr hen ffordd Rufeinig ar hyd y glannau gogleddol, dewisodd lwybr i fyny dyffryn Ceiriog.

Yng Nghaer Drewyn, hen fryngaer Frythonig ger Corwen, daeth byddinoedd Powys, Deheubarth a Gwynedd ynghyd ddechrau haf 1165 i wynebu goresgyniad y fyddin anferth hon. Hon a alwyd yn fyddin 'Cymru'n Un' yn ddiweddarach, ac amcangyfrifir mai tua 2,000 o filwyr oedd ynddi. Taro a phoenydio'r gelyn, gan ddefnyddio tir a cherrig a choed eu gwlad er eu mantais, oedd tacteg y Cymry fel erioed. Ni wnaed hynny yn fwy effeithiol yn ein hanes nag ym mrwydr Crogen – y 'frwydr yn y coed'.

Ar y ffordd i fyny dyffryn Ceiriog o'r Waun (B4500), mae'r llethrau coediog, serth yn gwasgu ar y dolydd culion hyd yn oed heddiw. O dan bentref Bron-y-garth, mae plac ar y bont i gofio brwydr Crogen ac mae tai gyda'r enwau Crogen Iddon a Chrogen Wladys ar y llethrau yn uwch i fyny'r dyffryn. Yma, ar dalcen Clawdd Offa ei hun, y taflodd rheng ar reng o filwyr Owain Gwynedd eu hunain i'r frwydr. Bu'r ymladd mor ffyrnig, mor benderfynol ac mor ddi-ildio dros lawer o ddyddiau a nosweithiau fel mai'r gair slang yn y fyddin Seisnig am 'dewrder/calon' ar ôl hynny oedd 'crogen'.

Nid oedd hi'n ffordd addas i fyddin fawr drwy lawr gwlad cul a choediog. Gyda'r milwyr yn llinyn tenau ar lwybr cul wrth yr afon gyflym, dechreuodd y Cymry eu hergydio a'u saethu, eu cyrchu'n sydyn a gwaedlyd a chilio wedyn i eraill lenwi'r rhengoedd. Roedd yn ymladd agos, wyneb yn wyneb, heb le i ddianc a bu colledion mawr o'r ddau du. Ond doedd y Cymry ddim yn mynd i ildio'r tir. Anfonodd Harri II am fwyellwyr a choedwigwyr o Amwythig i glirio llwybr o flaen ei fyddin, ond cafodd y rheiny hefyd eu sgubo o'r neilltu gan ffyrnigrwydd byddin Owain. Yn y diwedd, trodd y Saeson yn eu holau gan geisio dringo'r bryniau moel, uwchlaw llinell y coed.

Ar fynyddoedd y Berwyn, wynebodd yr ymosodwyr broblemau eraill – mawnogydd, tywydd stormus heb gysgod a Chymry'n ymosod ar eu wageni a dwyn eu harfau, eu pebyll a'u bwyd. Ganol Awst rhuai corwyntoedd a chwipiai cenllysg ar foelydd y Berwyn. Gelwir y llwybr hwn yn 'Ffordd y Saeson' hyd heddiw. Gyda'i filwyr yn marw o oerfel a newyn, bu'n rhaid i Harri droi'n ôl am Loegr dan gwmwl methiant. Ni ddychwelodd i Gymru ar ôl hynny.

Ei unig ateb oedd dial ar ddau ar hugain o feibion uchelwyr o Gymru a gadwai'n wystlon yn ei garchardai. Lladdodd rai ohonynt a thynnodd lygaid eraill o'u pennau gyda haearn poeth, gan gynnwys Rhys a Chadwallon, meibion Owain.

Wedi gwrthsefyll holl rym yr ymerodraeth Normanaidd a chael y llaw drechaf yn y frwydr, aeth Owain ymlaen i ennill rhagor o fuddugoliaethau. Cipiodd a llosgodd gastell Dinas Basing yn 1166 a chestyll Rhuddlan a Phrestatyn yn 1167. Erbyn 1168, roedd ar ei anterth fel tywysog, a'i deyrnas yn cyrraedd hyd at byrth Caer ar afon Dyfrdwy.

Aber-miwl

Lleoliad: I'r gorllewin o gastell Trefaldwyn
Brwydr: Cymry (Llywelyn Fawr)/Normaniaid
Dyddiad: 1231

Collodd Llywelyn ap Iorwerth (*c.* 1173–1240), tywysog Gwynedd, ei dad yn ifanc a dechreuodd ar ei yrfa fel rhyfelwr pan nad oedd ond tua deuddeg oed. Ei dasg gyntaf oedd ymladd rhyfeloedd cartref yn erbyn ei ewythrod a'i gefndryd i ennill rheolaeth dros deyrnas Gwynedd. Llwyddodd i wneud hynny erbyn 1199. Roedd hi'n amlwg o'r dyddiau cynnar hyn fod ganddo'r un weledigaeth â'i daid, Owain Gwynedd, i uno Cymru gyfan o dan ei faner. Aeth ymlaen i feddiannu Powys a Cheredigion, a hynny gan gadw ffafr y brenin John o Loegr yr un pryd. Rhoddodd John ei ferch, Siwan, yn wraig iddo a maenordy pwysig Ellesmere yn swydd Amwythig.

Ond chwerwodd y berthynas rhwng Llywelyn a brenin Lloegr erbyn 1211 pan ymosododd John ddwywaith ar Wynedd a gorfodi Llywelyn i dderbyn telerau llym. Yn raddol, adenillodd Llywelyn ei diroedd. Ochrodd gyda rhai o farwniaid nerthol Lloegr a gorfodi John i arwyddo'r Magna Carta yn 1215, ac mewn cynulliad o holl dywysogion Cymru yn Aberdyfi yn 1216, sefydlodd ei awdurdod dros y wlad i gyd. Does ryfedd iddo gael ei alw'n Llywelyn Fawr.

Dilynwyd John ar orsedd Lloegr yn 1216 gan Harri III, nad oedd ond bachgen naw mlwydd oed ar y pryd. Bu'n gyfnod ansefydlog a bu'n rhaid i Lywelyn ddioddef gweld tair ymgyrch filwrol gan goron Lloegr yng Nghymru yn 1223, 1228 ac 1231. Drwy frwydro a thrwy briodasau gwleidyddol ei blant, cynghreirio'n gyfrwys a thrafod yn gall, cadwodd Llywelyn ei diroedd a'i gefnogaeth ymysg gweddill tywysogion Cymru ar y cyfan ac roedd un fuddugoliaeth filwrol yn 1231 yn allweddol i'r yrfa honno.

Yn Ebrill 1231, roedd byddinoedd Llywelyn yn ymosod ar diroedd rhai o farwniaid y Mers yn ardal Trefaldwyn ac anfonwyd y tirfeddiannwr nerthol Hubert de Burgh gyda byddin fawr i gastell Trefaldwyn i geisio rheoli'r Cymry. Ar un cyrch, llwyddodd de Burgh a'i filwyr i amgylchynu catrawd o filwyr Llywelyn a'u

Castell Trefaldwyn

dwyn yn garcharorion i Drefaldwyn. Yno, torrwyd eu pennau i gyd a'u hanfon at y brenin yn Llundain.

Roedd y cyflafan hon, yn naturiol, yn dân ar groen Llywelyn. Aeth i ryfel yn erbyn y cestyll Normanaidd gan feddiannu a llosgi cyfres ohonynt ym Mhowys a'r deddwyrain. Nesâi at gastell Trefaldwyn, gan wersylla yn y corsydd i'r gorllewin o'r dref, ond anfonodd y brenin fyddin gref i atgyfnerthu garsiwn y castell.

Gyda'r gelyn i gyd rhwng muriau'r castell, anfonodd Llywelyn fynach o Lanilltud i'r dref a 'digwyddodd' hwnnw sôn bod Llywelyn ei hun ac ychydig gannoedd o'i filwyr wedi cael eu gweld i'r de o afon Hafren, ac felly ar yr un lan â Threfaldwyn. Arwyddocâd hynny i'r garsiwn oedd y gallent ofni ymosodiad o'r bryniau y tu cefn iddynt yn hytrach na thros y rhyd o dan y castell, oedd yn llawer haws ei amddiffyn. Ond yr abwyd yn stori'r mynach oedd bod Llywelyn a'i filwyr ar lawr gwlad dyffryn Hafren, lle nad oedd yn hawdd ei amddiffyn.

Heb oedi, gorchmynnodd de Burgh i'w fyddin arfogi a marchogaeth allan o Drefaldwyn tua'r gorllewin, ar hyd ysgwydd y bryniau am Landysul a Cheri. Gwelsant haid o Gymry a ffodd y rheiny am loches y coed wrth weld y marchogion yn nesu. Ond trap oedd y cyfan, wrth gwrs. Carlamodd y Normaniaid ar eu pennau i gorsydd yn y coed ac i wyneb saethau a gwaywffyn y Cymry. Bu'n frwydr galed ond cafodd y Cymry fuddugoliaeth lwyr. Yn y cyfamser roedd prif fyddin Llywelyn wedi manteisio ar y cyfle i ymosod ar Drefaldwyn a'i hanrheithio.

Bu'n rhaid i fyddin y brenin adael Cymru'n waglaw unwaith eto. Erbyn 1234, roedd Llywelyn wedi derbyn telerau heddwch gan frenin Lloegr a'r rheiny'n fanteisiol iawn i Gymru. Ni fu ymosodiad pellach gan y goron ar diroedd Llywelyn hyd ei farwolaeth yn 1240.

Pant ger Aber-miwl lle cafodd byddin o garsiwn Trefaldwyn ei denu ar drywydd y Cymry a'i dal mewn trap a chael ei threchu ar dir corsiog ac anghyfarwydd

Deganwy

Lleoliad: *O boptu afon Conwy*
Brwydr: *Cymry (Dafydd ap Llywelyn)/Saeson*
Dyddiad: *1245*

Olynwyd Llywelyn Fawr gan ei fab, Dafydd, ac er bod Harri III wedi cydnabod ei hawliau fel etifedd, pan fu farw Llywelyn ymosododd byddin anferth dan arweiniad brenin Lloegr ar diroedd Cymru. Bu'r blynyddoedd dilynol, hyd farwolaeth Dafydd drwy afiechyd yn 1246, yn rhai o frwydro parhaus gyda gwrthsafiad y Cymry'n cael ei naddu bron yn ddim dro ar ôl tro.

Adferwyd undod ymysg y Cymry yn 1244 ac ymosododd cynghrair o'r tywysogion ar y Saeson gan gipio castell yr Wyddgrug. Fis Awst y flwyddyn honno, ymosododd Harri III eto fyth ar ogledd Cymru gan arwain byddin ar hyd y glannau. Cyrhaeddodd cyn belled â Deganwy ond yno cyfarfu â Dafydd a byddin y Cymry yn y bylchau rhwng y bryniau. Bu'n fuddugoliaeth fawr i'r Cymry.

Ond ni chiliodd y Saeson yn ôl dros Glawdd Offa. Bu'n hydref a gaeaf cynhennus gyda Harri a'i fyddin wedi gwersylla yn ardal Deganwy am ddeng wythnos a Dafydd a byddin y Cymry ar forfa Conwy. Liw nos, byddai ymosodiadau cudd a chyflym ar draws yr aber cul a chyrff y Saeson yn cael eu harddangos ar bolion yn nŵr y trai.

Mae llythyr gan y clerigwr Matthew Paris yn cofnodi diffyg morâl gwersyll brenin Lloegr – yn eu pebyll, roeddent yn dioddef gan newyn, oerfel ac ofn y Cymry. Ddiwedd Medi, clywn fod llong o Iwerddon wedi cyrraedd yr aber cul, a honno'n llwythog gan fwyd a gwin i liniaru anghenion byddin Harri. Drwy ddamwain, glaniodd ar yr ochr orllewinol a gan fod y môr yn treio, cyn hir roedd ar dir sych. Rhuthrodd y Cymry arni i'w hysbeilio ond anfonodd y Normaniaid dri chant o filwyr dros yr aber mewn cychod. Ciliodd y Cymry i'r coed a'r mynyddoedd gyda milwyr Harri'n mynd ar eu holau gan ladd amryw a galw heibio abaty Aberconwy ar eu ffordd yn ôl gan ddwyn popeth oddi yno, gan gynnwys y llyfrgell a'r llestri cymun, a llosgi'r lle. Cythruddodd hynny'r Cymry gan eu gyrru'n ôl i'r frwydr ac i ailfeddiannu'r ysbail. Cafodd cant o'r trichant eu lladd neu eu cymryd yn

garcharorion a'u dienyddio a bu i ragor foddi yn yr aber wrth geisio ffoi. Syrthiodd y llong i ddwylo'r Cymry a aeth ati i'w gwagio a'i rhoi ar dân.

Yn raddol, aeth adnoddau a bwyd Harri a'i fyddin yn brin wrth iddynt geisio atgyfnerthu'r hen gastell i amddiffyn eu hunain rhag y Cymry. Roedd y cyrchoedd cyson yn tanseilio'u hyder ac erbyn y gaeaf, collai Harri filwyr i newyn ac oerfel. Bu'n

Rhan gul yr aber dan gastell Deganwy

rhaid iddo ddychwelyd i Loegr gan dderbyn telerau cadoediad y Cymry.

Coed Llathen

Lleoliad: *ger cymerau afonydd Tywi/Cothi*
Brwydr: *Cymry (Llywelyn ap Gruffudd)/Saeson*
Dyddiad: *2 Mehefin 1257*

Yn y blynyddoedd terfysglyd yn dilyn marwolaeth ifanc Dafydd ap Llywelyn, ymddangosodd ŵyr i Lywelyn Fawr – Llywelyn ap Gruffudd – fel arweinydd hirben a milwr galluog. Trechodd ei frodyr hŷn i sicrhau ei afael ar gadernid Gwynedd ac erbyn 1257, roedd tywysogion y Deheubarth yn ei gefnogi.

Ond roedd Rhys Fychan, perthynas pell i Lywelyn, yn casglu trethi beichus i'r brenin yn nyffryn Tywi. Taflodd Llywelyn ef o gastell Dinefwr a pharhau â'i ymgyrchoedd yn erbyn y Normaniaid ar gyffiniau'i dywysogaeth. Stephen Bauzan oedd siryf sirol Caerfyrddin a'i ddyletswydd oedd adfer Rhys Fychan i'w swydd a'i gynorthwyo i gasglu'r trethi honedig ddyledus drwy ddwyn ac ysbeilio. Casglodd fyddin fawr ynghyd yng Nghaerfyrddin gan ddechrau teithio i fyny dyffryn Tywi i gyfeiriad Llandeilo. Credir bod nifer o farchogion yno yn ogystal â milwyr traed, a byddin o tua 4,000.

Gwersyllodd y Normaniaid ar ddolydd y dyffryn, ychydig bellter draw o gastell Dinefwr. Yno y chwaraeodd Rhys Fychan gêm beryglus – hyd hynny, roedd wedi bod yn rhan o fyddin y Normaniaid ond ar boen cael ei ddal a dioddef y cosbau eithafol a wynebai bob bradwr, gadawodd y gwersyll a mynd i gastell Dinefwr a chyhoeddi ei deyrngarwch i Faredudd ap Rhys.

Er nad oedd gan y Cymry gynifer o filwyr â'r Normaniaid, roedd eu tactegau yn fwy na digon i wneud iawn am hynny. O gysgod coed a chreigiau, gollyngodd eu bwawyr saethau i ganol gwersyll y gelyn. Goddefodd y Normaniaid yr ymosodiadau hyn am beth amser ac yna dyma benderfynu y byddai'n ddiogelach iddynt ddychwelyd i Gaerfyrddin.

Taith araf oedd honno, gyda'r dydd ar ei hiraf, a lle bynnag yr oedd llinyn hir y fyddin o fewn cyrraedd ergydion y Cymry yn y coed a'r llethrau, byddai colledion. Digwyddodd y brif frwydr mewn lle o'r enw Coed Llathen, ac mae'n debyg mai cywasgiad o 'Llangathen' yw'r ail elfen. Yno, mae'r ffordd yn rhedeg am ddwy filltir dan fargod y llethrau serth.

1. Pont ar Gothi; 2. Rhyd ar Gothi; 3. Maes y brwydro cyn i'r Norman gael ei yrru i'r afon

Ymosododd y Cymry am hanner dydd, yn anterth yr haul, pan oedd y fyddin estron eisoes wedi bod yn gorymdeithio am chwe milltir. Yn dilyn y saethau a'r picellau, daeth milwyr y gwaywffyn hirion i lawr y llethrau a thaflu marchogion o'u cyfrwyau. Dygodd y Cymry y ceffylau pwn a'r holl offer ac arfau wrth gefn.

Ffodd blaen byddin y Normaniaid i lawr y dyffryn ond roeddent fwy na deng milltir o Gaerfyrddin o hyd. Wrth iddynt geisio croesi afon Cothi ar hyd pont bren gul, daeth saethau'r Cymry ar eu pennau.

Caeodd y gwaywyr i mewn o'u cefnau a bu lladdfa fawr ar y dolydd ger cymerau afonydd Cothi a Thywi.

Brwydr ffoi ac ymlid dros ddau ddiwrnod oedd brwydr Coed Llathen/ Cymerau a lladdwyd bron ddwy fil o Normaniaid, gan gynnwys barwniaid ac uchelwyr. Aeth Llywelyn a'i fyddin ymlaen i drechu'r goresgynwyr yng nghestyll Llansteffan, Maenclochog ac Arberth gan ddychwelyd i Wynedd gydag anrhaith fawr.

Gall y fynedfa i barc castell Penarlâg fod yn un gudd i lygad yr anghyfarwydd hyd yn oed heddiw. O'r groes yng nghanol y pentref, gwelir tyrau'r porth a drws mawr cadarn, caeedig. Yn y drws mawr, mae drws bychan – ond mae hwnnw'n ymddangos yr un mor ddigroeso a phreifat. Eto, o'i agor, dyma barcdir braf a'i lwybrau yn eich gwahodd i grwydro a chyn hir daw'r domen a'r tŵr carreg i'r golwg. Yma, liw nos, y trawodd Dafydd a'i lu eu hergyd dros annibyniaeth yn 1282.

Penarlâg

Lleoliad: Castell Penarlâg
Brwydr: Cymry (Dafydd ap Gruffudd)/Saeson
Dyddiad: Sul y Blodau, 22 Mawrth 1282

Roedd Llywelyn ap Gruffudd wedi hawlio teyrngarwch holl is-dywysogion Cymru erbyn 1258 u'i uchelgais oedd sefydlu gwladwriaeth annibynnol gyda'i llywodraeth a'i chyfreithiau ei hun yr ochr hon i Glawdd Offa. Ochrodd gyda Simon de Montfort pan fu rhyfel cartref rhwng barwniaid y Mers a Harri III yn 1264. Gorchfygodd Llywelyn gestyll teyrngar i Harri ar y gororau a bu carfan gref o Gymry yn ymladd ym myddin de Montfort. Cawsant lwyddiant i gychwyn, gan drechu a dal Harri ac Edward ei fab. Ond

llwyddodd Edward i ddianc ac arweiniodd fyddin i fuddugoliaeth yn erbyn de Montfort yn Evesham yn 1265.

Ym Medi 1267, cyfarfu Llywelyn a Harri ger Rhyd Chwima yn Nhrefaldwyn a thrwy'r cytundeb hwnnw cydnabuwyd Llywelyn yn Dywysog Cymru. Rhoddwyd hawliau etifeddol i goron Llywelyn. Roedd arwyddocâd cyfansoddiadol arbennig i'r cytundeb hwn – roedd y gobaith am greu gwladwriaeth Gymreig ar fin cael ei wireddu.

Ond roedd pris i'w dalu. Gosodwyd trethi trymion ar Gymru – trethi amhosib i Lywelyn eu talu. Coronwyd Edward yn frenin Lloegr yn 1272 a mynnodd fod Llywelyn yn ei gyfarfod i dalu gwrogaeth iddo yn Amwythig a Chaer wedi hynny, ond barnodd Llywelyn ei bod hi'n ddoethach iddo gadw o'i afael. Yn 1277, ymosododd Edward ar ogledd Cymru, gan yrru llynges i feddiannu Môn yr un pryd.

'Môn, mam Cymru', meddai'r hen ddywediad am mai yno y tyfid y grawn ar gyfer Gwynedd, ac wrth i'r Saeson feddiannu'r storfa fwyd, bu'n rhaid i

Lywelyn ildio ac arwyddo cytundeb Aberconwy oedd yn cwtogi'n sylweddol ar hawliau'r Cymry.

Hyd hynny, roedd Dafydd ap Gruffudd, brawd Llywelyn, wedi bod yn dipyn o Sioni-bob-ochr. Ochrodd ag Edward yn erbyn ei frawd, er iddo fod ar ochr y Cymry ar adegau yn ogystal. Dan delerau cytundeb 1277, rhoddwyd y wlad rhwng Conwy a Chaer yn nwylo Dafydd ond yn annisgwyl, oddi yno y daeth yr ymosodiad a arweiniodd at Ail Ryfel Annibyniaeth y Cymry yn erbyn Edward yn 1282.

Roedd Edward yn ceisio gorfodi cyfraith Lloegr ar Gymru ac roedd Dafydd wedi dioddef dan law llys Caer, gan orfod ildio'i blant yn wystlon i'r Saeson. Daeth rhagor o Gymry'r gororau i gefnogi Dafydd a'r diwedd bu iddo gymodi â'i frawd ac ymosod ar gastell Penarlâg.

Cyrch liw nos oedd hwnnw, ar Sul y Blodau 1282. Lladdwyd y gwarchodlu a chipiwyd yr ynad Roger de Clifford, prif weinyddwr cyfraith Lloegr yng Nghymru, yn garcharor. Aeth byddin o Benllyn a Phowys i ymosod ar Groesoswallt a thridiau'n ddiweddarach syrthiodd castell Aberystwyth i Gymry Ceredigion. Yn cyd-ddigwydd â hynny roedd ymosodiadau Cymry Ystrad Tywi ar gestyll Llanymddyfri a Charreg Cennen. Roedd hi'n amlwg bod cynllwynio a threfnu cenedlaethol y tu ôl i'r ymosodiadau ffyrnig. Dafydd daniodd y gwrthryfel, ond o fewn ychydig wythnosau roedd Llywelyn hefyd yng nghanol yr ymosodiadau ar drefi a chestyll y Saeson yng Nghymru.

Yr un pryd, aeth byddinoedd Cymreig eraill i gipio cestyll y Fflint a Rhuddlan, ac ysbeilio'r ddwy fwrdeistref, yr unig ddau goloni yng ngogledd Cymru oedd ym meddiant y Saeson erbyn hynny.

1. *Castell Penarlâg*
2. *Rhyd Chwima ar afon Hafren*

Moel-y-don

Lleoliad: Afon Menai ger y Felinheli
Brwydr: Cymry/Saeson
Dyddiad: 6 Tachwedd 1282

Bu'r Cymry yn llwyddiannus yn Rhyfel Annibyniaeth 1282 ar y dechrau. Yn amlwg, doedd gormes y drefn lywodraethu Seisnig ddim yn boblogaidd ymysg y gwahanol dywysogaethau a chododd y Cymry gyda Llywelyn a Dafydd yn erbyn y cestyll a'r trefi estron. Ond at yr haf, cynullodd Edward fyddinoedd ffiwdal anferth o bob cwr o Loegr, a milwyr llog o'r Cyfandir ar ben hynny, wedi iddo sicrhau benthyciadau o fanciau Lucca, Firenze a Siena. Syrthiodd Môn i ymosodiad gan lynges o Gaer; aeth y wlad rhwng Conwy a Chaer i ddwylo byddinoedd ymerodrol oedd ymhlith y mwyaf grymus a welwyd erioed.

Yna, ym Mehefin, dioddefodd Llywelyn golled a galar personol enbyd pan fu farw Eleanor ei wraig ar enedigaeth eu plentyn cyntaf, Gwenllian. Ofer fu unrhyw ymgais i drafod a chymodi gydag Edward. Roedd hi'n amlwg fod brenin Lloegr wedi rhoi'i fryd ar drechu'r Cymry'n llwyr, dileu awdurdod tywysogion Gwynedd a meddiannu'r tiroedd.

Yn raddol, ailfeddiannodd byddinoedd Edward y cestyll Normanaidd ond a'r gaeaf yn cau amdanynt, roedd Gwynedd Uwch Conwy yn dal yn gadarn – dyma'r dalaith yn y mynyddoedd gyda'i chestyll manteisiol yn gwarchod pob bwlch a chwm. Ar ben hynny, roedd aber llydan afon Conwy yn gwarchod ffin ddwyreiniol Eryri a cheryntoedd a llanw afon Menai yn ffin ogleddol gref.

Gyda hynny mewn cof, penderfynodd y Saeson gynllunio pont ar gychod a fyddai'n fodd i fyddin groesi o Fôn i'r tir mawr a herio amddiffynfa fynyddig y Cymry. O ddiwedd Mai 1282 ymlaen, bu dwsin o seiri wrthi'n paratoi cychod yng Nghaer. Erbyn Tachwedd, roedd y cyfan ym Môn ac wedi'u cyplysu wrth ei gilydd i greu sarn bren ar draws afon Menai.

Er bod byddin sylweddol gan Edward ym Môn, roedd yn ceisio cael ei fyddin yn y gogledd-ddwyrain i groesi afon Conwy ac

1. Cychod pleser sydd yn afon Menai o dan lethrau'r Felinheli heddiw; 2. Mae olion hen lanfa'r fferi, a fu'n cludo teithwyr a nwyddau am ganrifoedd o Foel-y-don, ar lan ogleddol yr afon. Yma y ceisiodd y Saeson godi eu pont gychod yng nghanol y gaeaf.

ymosod ar Eryri yr un pryd. Anelai am ryd yn ardal Llanrwst, ond cafodd broblemau dybryd yn y dyffrynnoedd coediog a'r rhostiroedd garw rhwng Clwyd a Chonwy.

Cyn i Edward a'i fyddin groesi afon Conwy, penderfynodd ei farchogion ym Môn ei bod hi'n amser croesi'r bont ar draws afon Menai ym Moel-y-don, gyferbyn â'r Felinheli. Gwnaed hynny ar 6 Tachwedd, pan oedd y môr ar drai, gan nifer o farchogion a thri chant o filwyr traed. Wedi iddynt lanio a chodi i dir ychydig uwch, cododd y llanw ac roedd yn rhy ddwfn iddynt gyrraedd yn ôl at y bont. Ymosododd y Cymry arnynt o'r mynyddoedd ac roedd hi'n amlwg fod y Saeson yn colli'r dydd o'r dechrau. Ceisiodd rhai fynd yn ôl am y bont, ond roedd eu harfwisgoedd mor drwm nes iddynt gael eu boddi. Collodd Edward rai o'i filwyr a'i farchogion gorau y diwrnod hwnnw, a bu'n agos at droi'r fantol a throi ei holl ymdrechion i orchfygu'r Cymry yn fethiant.

Pont Orewyn

Lleoliad: Afon Irfon ger Llanfair-ym-Muallt
Brwydr: Cymry/Saeson
Dyddiad: 11 Rhagfyr 1282

Yn dilyn y fuddugoliaeth ysgubol ar lannau Menai, a gyda llifogydd y gaeaf yn llenwi afon Conwy ac yn cadw Edward a'i fyddin yn Rhuddlan, roedd yn ymddangos bod cadarnle annibyniaeth y Cymry ym mynyddoedd Eryri yn ddiogel am ryw hyd. Ond yna bu tro annisgwyl yn yr hanes. Gadawodd Llywelyn Eryri yng ngofal Dafydd ei frawd a mentro tua'r canolbarth gyda hanner ei fyddin. Yno y bu'r digwyddiadau dramatig a gafodd effaith ar hanes Cymru am ganrifoedd ar ôl hynny.

Mae awgrym yn y croniclau bod Llywelyn wedi cael ei dwyllo gan rai o'i gynghorwyr ei hun i adael Gwynedd a mynd i ardal Buellt ym Mrycheiniog i hyrwyddo'r gwrthryfel. Efallai ei fod wedi cael addewidion twyllodrus o gymorth gan deulu Normanaidd Mortimer yn Llanfair-ym-Muallt. Mae'r haneswyr yn parhau i ddadlau am y manylion, ond mae'n ymddangos bod trap wedi'i osod a hynny er mwyn dileu'r bygythiad mwyaf i goron Lloegr, sef Llywelyn ap Gruffudd ei hun.

Dan amgylchiadau amheus, cofnodir bod tywysog Cymru wedi'i ladd gan farchog o Sais pan oedd wedi'i wahanu oddi wrth ei fyddin ar lan afon Irfon. Yn ddiweddarach, torrwyd ei ben a'i gludo i'w ddangos i Edward yng nghastell Rhuddlan a threfnodd yntau i'r pen gael ei gario ar bolyn drwy strydoedd Llundain cyn cael ei arddangos ar y Tŵr Gwyn. Aeth mynachod abaty Sistersaidd Cwm-hir â'i weddillion i'w claddu ym mynwent yr abaty hwnnw, lle mae carreg fedd i nodi hynny erbyn hyn.

Y diwrnod hwnnw roedd byddin Llywelyn ar ffedog o dir rhwng afonydd Gwy ac Irfon i'r gorllewin o gymer y ddwy afon ger Llanfair-ym-Muallt. Gyda'r mynydd-dir yn gefn iddynt, wynebent fyddin fawr y brenin yng nghanolbarth Cymru dan arweiniad Roger Lestrange yr ochr draw i afon Irfon. Roedd Llywelyn wedi gosod gwarchodlu i gadw'r bont dros afon Irfon yn ddiogel – Pont Orewyn, ychydig i'r gorllewin o'r bont bresennol, efallai.

1. *Pont Orewyn fel y mae heddiw dros y rhyd ar Irfon wrth y dref; 2. Cilmeri; 3. Ffynnon y golchwyd pen Llywelyn ynddi yn ôl traddodiad*

GER Y FAN HON
Y LLADDWYD
LLYWELYN
EIN LLYW OLAF
1282

Cynghorwyd y Saeson i groesi rhyd gerllaw ac ymosod ar warchodlu Pont Orewyn o'r tu cefn, a dyna fu. Yn ôl yr hanes, roedd gan farchogion Lestrange gatrawd o wŷr y bwa hir o Went rhwng y ceffylau. Syrthiodd cawodydd o saethau ar y gwarchodlu ar y bont ac ni fu'r gwŷr meirch yn hir wrth y gwaith o glirio'r bont ar ôl hynny. Efallai mai dyna pryd y gadawodd Llywelyn ei fyddin a charlamu i weld beth oedd yn digwydd ar Bont Orewyn a chael ei drywanu gan waywffon un o'r marchogion yng Nghilmeri. Roedd y bont yn rhydd bellach i brif gorff y fyddin Seisnig groesi'r afon ac ymosod yn annisgwyl ar y fyddin Gymreig a chario'r dydd mewn sgarmes waedlyd.

Llawenydd a dathlu fu o amgylch byrddau Edward yn Rhuddlan pan gyrhaeddodd y newydd am drechu'r fyddin Gymreig a lladd Llywelyn. Galar cenedlaethol ac ymwybyddiaeth o drasiedi a dinistr a deimlir yn awdlau coffa'r beirdd Cymreig i Dywysog Cymru.

Cofeb Llywelyn ap Gruffudd yng Nghilmeri

Castell Caernarfon

Lleoliad: *Tref a chastell Caernarfon*
Brwydr: *Cymry (Madog ap Llywelyn)/Saeson*
Dyddiad: *1294*

Wedi lladd Llywelyn yng Nghilmeri, dilynwyd ef gan ei frawd, Dafydd. Yn fuan yn 1283, gyda byddinoedd Edward wedi croesi afon Conwy a chipio castell Dolwyddelan am y tro cyntaf erioed, bu'n rhaid i Ddafydd a'i warchodlu adael llys Abergwyngregyn a chwilio am loches yng nghymoedd uchaf Eryri. Yno y cafodd ei ddal ym Mehefin 1283 a'i ddienyddio yn Amwythig yn nechrau Hydref, drwy gael ei lusgo wrth gynffonnau ceffylau, ei grogi, llosgi'i berfeddion a'i chwarteru.

Dilynodd Edward batrwm y Rhufeiniaid drwy sicrhau cadwyn o droedleoedd cadarn ar draws gogledd Cymru. Rhwng 1276 ac 1295, gorchmynnodd godi neu atgyweirio dau ar bymtheg o gestyll. Sefydlodd fwrdeistrefi breintiedig i estroniaid yng nghysgod y rhan fwyaf o'r cestyll gan ddileu llysoedd a thywysogion y Cymry. Roedd y wlad bellach yn goloni a'i gwerin heb hawliau, a rheolaeth y Saeson drosti yn cynnwys codi trethi a gorfodi dynion i fynd i ymladd eu rhyfeloedd mewn rhannau eraill o'r deyrnas.

Yn 1287, cododd Rhys ap Maredudd mewn gwrthryfel ac ymosod ar eiddo'r Saeson yn nyffryn Tywi. Cafodd ei orfodi i gilio i'r mannau anghysbell ond llwyddodd i barhau â'i ymladd gerila am bedair blynedd arall cyn cael ei ddal a'i ddienyddio yn 1292.

Y sialens fawr olaf i awdurdod Edward yng Nghymru oedd gwrthryfel Madog ap Llywelyn oedd o linach tywysogion Gwynedd. Gwrthryfel byr a oedd drosodd mewn deng mis ydoedd, ond roedd yn un digon difrifol i beryglu bywyd Edward ei hun yn ystod gwarchae dwys ar gastell Conwy.

Mynnodd yr awdurdodau Seisnig fwy o drethi a mwy o filwyr i'w byddinoedd o Gymru. Roedd gan Edward ryfeloedd i'w hymladd yn Ffrainc ac roedd yn rhaid i'r coloni gyfrannu atynt. Gwrthryfelodd y milwyr Cymreig ac aros yn eu broydd ym Môn, Arfon a Meirionnydd. Ar y llaw arall, roedd catrodau swyddi Amwythig a Chaer – yr union rai fyddai'n cael eu hanfon i ymosod ar Gymru pe bai anhrefn yma – wedi mynd i Portsmouth ac ar fin gadael am Ffrainc. Am yr un rheswm, roedd garsiynau cestyll Edward yng Nghymru yn isel o ran niferoedd.

Roedd yn gyfle da a manteisiodd Madog ar hwnnw. Môn a brofodd y fflamau cyntaf, a hynny ar ŵyl Mihangel, Medi 1294. Ymosodwyd ar eiddo'r Saeson yn Llan-faes – nid oedd castell ym Môn ar y pryd gan mai ar ôl y gwrthryfel hwn y codwyd castell Biwmares. Anrheithiwyd mannau eraill ar yr ynys cyn croesi'r Fenai ac ymosod ar dref a chastell Caernarfon, cadarnle grym Seisnig a lleoliad y trysorlys yng ngogledd Cymru.

Bu'n gyrch mor gyflym fel nad oedd Saeson y dref wedi clywed am yr ymosodiadau ar goloneiddwyr Môn. Roedd yn ddiwrnod ffair yng Nghaernarfon ar y pryd a byddai nifer o Gymry o'r tu allan i'r waliau yno, yn ogystal â'r 300–400 o Saeson oedd wedi

Castell Caernarfon, a'i dyrau grymus. Cafodd ei gipio gan y Cymry yn ystod gwrthryfel Madog.

cael eu gosod yno'n drefedigaeth freintiedig gan Edward. Roedd hi'n orfodol, yn ôl siarter y dref yn 1284, bod yr holl drigolion oedd yn byw o fewn wyth milltir iddi yn gorfod dod i'r farchnad yno i brynu a gwerthu eu holl nwyddau a hynny am brisiau oedd yn cael eu pennu gan Saeson y dref.

Castell Caernarfon oedd campwaith penseiri Edward. Roedd naws ymerodrol i'w gynllun a'i ddiben. Roedd yn ddatganiad ac yn ddathliad o nerth coron Lloegr. Hynny a wnaeth lwyddiant gwrthryfel Madog yn gymaint o gamp – nid yn unig ei fod wedi llwyddo i gipio'r dref a'i llosgi, ond hefyd i feddiannu'r castell ei hun a'i ddarostwng yn llwyr. Hwn fyddai'r unig dro yn ei hanes i gastell Caernarfon ddisgyn i ddwylo'r 'gelyn'.

Gan fod rhyfeloedd Edward yn lluosog, roedd galw arno am adnoddau milwrol a chyllid sylweddol yn barhaus. Bu bron i'w gynllun mawreddog i godi cestyll a threfi caerog Cymru ei wneud yn fethdalwr – y prosiect hwn oedd y gwaith adeiladu mwyaf a welwyd yn Ewrop yn ystod yr Oesoedd Canol. Yn wyneb y costau hynny a thrafferthion ariannol y goron, roedd y gwaith ar waliau Caernafon wedi arafu a hyd yn oed wedi cael ei oedi erbyn 1292. Palis pren oedd yn cau'r bwlch yn y waliau ar ochr ogleddol y dref.

Dyma'r ochr a wynebai'r Fenai a Môn. O'r cyfeiriad hwnnw yr ymosododd Madog a'i wŷr ar y dref a lladd y coloneiddwyr yn ddidrugaredd. Cafodd hynny effaith barhaol ar y dref – methwyd â chael llawer o wirfoddolwyr i goloneiddio Caernarfon ar ôl hynny, er ceisio'u denu gyda breintiau rhyfeddol.

Llosgwyd adeiladau'r goron; chwalwyd y felin; bylchwyd muriau'r dref; llosgwyd y cei; ymosodwyd ar y trysorlys a dwyn ei arian a llosgi'i ddogfennau, gan gynnwys siarter y dref. Syrthiodd y castell i ddwylo'r gwrthryfelwyr. Daliwyd siryf Môn, Roger de Puleston, a'i grogi gan ddau o'i denantiaid.

Yr un pryd yng ngweddill Cymru roedd arweinwyr eraill y gwrthryfel yn cipio castell Aberteifi, yn dienyddio swyddogion y goron yng nghanolbarth Cymru ac yn ymosod ar gastell Caerffili. O fewn dim roedd nifer fawr o gestyll y Saeson yng Nghymru dan warchae ac enillodd Madog a'i ddilynwyr fuddugoliaeth yn erbyn byddin Henry de Lacy ger tref Dinbych.

Pan gyrhaeddodd y newyddion glustiau Edward, rhoddodd y gorau i'w gynlluniau i fynd i ryfela yn Ffrainc. Arweiniodd fyddin y dywedir ei bod yn cynnwys 30,000 o ddynion i ogledd Cymru. Croesodd Edward i Gonwy ond ni fedrodd ei fyddin ei ddilyn am fod yr afon yn ei lli, a daliwyd y brenin dan warchae'r Cymry dros Nadolig 1294.

Bu bron i'r garsiwn – a'r brenin – gael eu llwgu i farwolaeth. Er i'r gwrthryfel gael ei drechu yn 1295, roedd wedi profi mai troedle yn unig oedd gan y goron yng Nghymru wrth godi'r fath gestyll. Byddai gwrthryfeloedd eraill yn y dyfodol yn ategu nad oedd y wlad dan reolaeth y rhai oedd y tu ôl i'r waliau bob tro.

Caer Drewyn a Rhuthun

Lleoliad: Caer Drewyn a thref Rhuthun
Brwydr: Cymry (Owain Glyndŵr)/Saeson
Dyddiad: 16–18 Medi 1400

Bryngaer o'r Oes Haearn, tua 500 CC, yw Caer Drewyn, ar esgair orllewinol y gadwyn o fryniau rhwng Llangollen a Chorwen. Mae'n edrych i lawr dros gymer afonydd Alwen a Dyfrdwy gan gynnig rheolaeth dda dros y dyffrynnoedd hynny a'r Berwyn tua'r de.

Yn ôl Edward Llwyd, yn niwedd yr ail ganrif ar bymtheg arferai'r Cymry gadw'u gwartheg ynddi yn ystod cyfnod o ryfela. Mae traddodiad bod Owain Gwynedd wedi'i ddefnyddio ar gyfer cynnull catrodau o filwyr o bob rhan o Gymru pan oedd yn arwain 'byddin Cymru'n Un' yn 1165.

Mae traddodiad cryf hefyd mai dyma lle casglodd Owain Glyndŵr ei fyddin o 300 ynghyd cyn ymosod ar Ruthun ar 18 Medi 1400, gan danio gwrthryfel a fyddai'n ymestyn am bymtheng mlynedd.

Yn dilyn gwrthryfel Madog ap Llywelyn 1294–95, cyflwynwyd cosbau llymach eto yn erbyn y Cymry. Codwyd trethi trymion arnynt a chodwyd castell newydd ym Miwmares. Wedi deuddeg canrif o ymosodiadau ar y wlad, o feddiannu ac amddiffyn, does fawr o ryfedd bod mwy o gestyll i'r filltir sgwâr yng Nghymru nag yn unrhyw wlad arall yn y byd – mae dros 500 o gestyll wedi'u cofnodi yma, ac mae nifer o amddiffynfeydd pren a phridd na chawsant eu trosi'n gestyll cerrig ar ben hynny.

O ddiogelwch y cestyll, rheoli'r Cymry drwy drais a dychryn oedd bwriad y goresgynwyr. Yng nghofnodion cyfrifon un o'r cestyll hyn yn 1282 (*Hope Castle Account of 1282*), gwelir bod Edward yn talu 'rhodd y brenin' o swllt y pen am bob pen rebel Cymreig yr oedd milwyr y garsiwn yn dychwelyd gydag o i'r castell ar ôl diwrnod yn hela'r Cymry yn yr ardaloedd cyfagos. Drwy haf a hydref 1282, mae rholyn 33 troedfedd o femrwn ac arno golofnau clòs yn cofnodi'r taliadau hyn a wnaeth i'r milwyr wrth iddynt ymosod ar diroedd y Cymry tua'r gorllewin ac yn eu mysg mae 27 taliad i filwyr am ladd Cymry.

Tyfodd yr atgasedd rhwng y Cymry a llywodraeth y cestyll dros y ganrif nesaf gan ffrwydro'n derfysg ac ambell wrthryfel lleol. Bu disgwyl yn y 1370au am i Owain Lawgoch – un o'r Cymry alltud oedd wedi

1. Caer Drewyn; 2. Rhan o'i hamddiffynfa

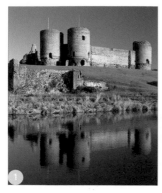

cael nawdd brenin Ffrainc – ddychwelyd gyda byddin i ryddhau'r Cymry rhag iau'r Saeson. Yna, yn 1400, daeth arweinydd cenedlaethol newydd i'r amlwg a fyddai'n arwain Cymru i'r gwrthryfel hwyaf erioed mewn unrhyw wlad yn erbyn Ymerodraeth Prydain.

Owain Glyndŵr (1359–1415) oedd hwnnw. Roedd yn ddisgynnydd i dywysogion Powys ar ochr Gruffudd Fychan ei dad a thywysogion y Deheubarth ar ochr Elen ei fam. Roedd yn un o'r mân arglwyddi Cymreig gyda thiroedd yng Nglyndyfrdwy, ger Corwen, a Chynllaith, ger Llansilin lle'r oedd ei lys enwog, Sycharth. Astudiodd y gyfraith yn Llundain a chafodd yrfa filwrol ym myddinoedd Richard II.

Cestyll a threfi'r gorthrwm: 1. Rhuddlan; 2. Conwy; 3. Biwmares

Nid oedd ar delerau da â phrif arglwydd Seisnig gogledd-ddwyrain Cymru, Reginald de Grey o gastell Rhuthun. Gormeswr Seisnig oedd de Grey a geisiai ladrata mwy o dir a chyfoeth iddo'i hun ar draul y Cymry ar ffiniau'i arglwyddiaeth.

Yn 1399, diorseddwyd Richard II gan Harri IV a chyhoeddodd hwnnw ei fab ei hun, Harri (Hal), yn Dywysog Cymru mewn seremoni yn Llundain yr un flwyddyn. Gwelodd de Grey ei gyfle i ennill ffafr ei frenin newydd drwy bardduo cymeriad Glyndŵr a bwrw amheuaeth ei fod yn rebel yn erbyn y goron ac yn dal yn driw i Richard II. Yn haf 1400, meddiannodd de Grey dir comin y Cymry ym mhen uchaf dyffryn Clwyd gan gyrraedd at ffin tiriogaeth Glyndŵr lle mae meini Bwrdd y Tri Arglwydd (Cyf. Grid 104 468).

Dyna'r gwelltyn olaf. Anfonwyd gair i ardaloedd cyfagos ac ar 16 Medi 1400 cynullodd byddin o tua 300 o Gymry yng Nghaer Drewyn lle cyhoeddwyd Owain Glyndŵr yn Dywysog Cymru gerbron Deon Llanelwy. Dyna her uniongyrchol i'r seremoni yn Llundain y flwyddyn flaenorol. O'r cychwyn cyntaf felly, roedd hwn yn wrthryfel cenedlaethol yn erbyn

awdurdod brenin Lloegr yng Nghymru.

Ond de Grey a thref Rhuthun fyddai'n dioddef gyntaf. Ar 18 Medi, teithiodd byddin y Cymry o Gaer Drewyn i Ruthun. Roedd hi'n ddiwrnod marchnad yno. Dinistriwyd y dref a'i llosgi. Aeth y fyddin ymlaen yn gyflym ac yn y dyddiau dilynol ymosododd ar gadarnleoedd y Saeson yn y gogledd-ddwyrain – Dinbych, Rhuddlan, Fflint, Penarlâg, Holt, Croesoswallt a'r Trallwng.

Roedd gwrthryfel mawr y Cymry wedi dechrau.

1. Bwrdd y Tri Arglwydd; 2. Cofeb Owain Glyndŵr yng Nghorwen

Hyddgen

Lleoliad: Hyddgen, Pumlumon; Cyf. Grid 909 792
Brwydr: Cymry (Owain Glyndŵr)/Saeson
Dyddiad: Mehefin 1401

Bu ymateb Harri IV i wrthryfel Medi 1400 yn ffyrnig a dialgar. Cynullodd fyddin niferus yn Amwythig gan ymosod a dinistrio yng ngogledd Cymru yn nechrau'r hydref hwnnw. Ni welwyd argoel o Glyndŵr na'i fyddin. Ni chlywyd gair na chwedl amdano. Aethant yn ôl i Loegr yn fuan a gwaglaw gan gosbi'r Cymry gyda nifer o ddeddfau llym yn senedd Llundain.

Yng ngwanwyn 1401, roedd y gwrthryfelwyr ar waith unwaith eto. Cipiodd Rhys a Gwilym ap Tudur, cefndryd Glyndŵr a chyndadau Harri Tudur, gastell Conwy ar 1 Ebrill. Roedd Glyndŵr ei hun yn weithgar yn y gorllewin, a'i fyddin ar gynnydd. Llythyrodd â'r uchelwr Cymreig Harri Dwn, Cydweli, i ofyn am ei gymorth 'i ryddhau pobl Cymru o gaethiwed ein gelynion Seisnig'.

Roedd byddin o drefi Seisnig Ceredigion a Ffleminiaid de Penfro yn dilyn trywydd y gwrthryfelwyr erbyn dechrau Mehefin. Gyda 1,500 o ddynion, daethant ar draws gwersyll Glyndŵr yn nyffryn Hyddgen ym Mhumlumon. Hyd yma, ymosodiadau sydyn a mân frwydrau fu patrwm y gwrthryfel. Taro a chilio a chuddio oedd cryfder y Cymry yn erbyn rhwydwaith o gestyll cadarn a byddinoedd niferus. Yn Hyddgen bu'n rhaid i Glyndŵr ymladd ei frwydr 'agored' gyntaf ac roedd yn un allweddol. Ers Medi 1400, bu'n arweinydd ar herw yn ei wlad ei hun. Pe collai'r dydd yn Hyddgen, byddai ar herw eto heb gadarnle a'i gefnogaeth ar drai. Aeth i'r frwydr hon yn ffoadur; daeth ohoni'n dywysog.

Llwyfandir corsiog gyda chymoedd mynyddig yw Pumlumon ac mae'n nodedig am ei law a'i niwloedd. Nid oes copaon uchel nac esgeiriau creigiog ond mae ardaloedd eang ohono'n anhygyrch ac anodd eu cerdded hyd heddiw. Roedd yn ardal ddelfrydol i Owain a'i fyddin – nid oedd yn dir addas i farchogion y gelyn, ond drwy'u gwybodaeth leol o'r llwybrau a'r bylchau, gallai'r gwrthryfelwyr ymosod ar sawl tref frenhinol a 'diflannu'.

Dywed rhai haneswyr fod ymddangosiad y fyddin Seisnig/Ffleminaidd yng ngwaelod

dyffryn Hyddgen yn 'annisgwyl' y Mehefin hwnnw. Mae'n fwy tebygol bod gwylwyr Glyndŵr wedi cadw llygad barcud arni ers iddi adael diogelwch castell Aberystwyth, rhyw 20 milltir i ffwrdd. Mae'n fwy na thebyg hefyd fod y Cymry yn barod am y frwydr a'u bod wedi dewis y lleoliad a'r amseriad i'r ddwy fyddin gyfarfod yn ofalus.

Dywed traddodiad lleol fod prif wersyll Glyndŵr yn Siambr Trawsfynydd i'r gogledd o Fynydd Hyddgen, sydd erbyn hyn dan fforest o goed bythwyrdd. Mae dyffryn Hyddgen ei hun, serch hynny, yn foel a di-goed, yn arw a chorsiog ac yn debyg iawn i'r hyn oedd chwe chan mlynedd yn ôl.

Tua'r de, lle mae cymer afonydd Hyddgen a Hengwm, mae llawr y dyffryn yn gul – dim ond dau neu dri chanllath o led. Yno, rhyw ganllath i'r gorllewin o'r afon wrth odre Banc Llechwedd Mawr mae dwy garreg wen rhyw ddwy droedfedd o uchder, ugain llath oddi wrth ei gilydd, ac yn rhedeg yn union o'r gogledd i'r de. Yr enw lleol arnynt yn ôl y casglwr hanes llafar lleol, Cledwyn Fychan, yw Cerrig Cyfamod Owain Glyndŵr (Cyf. Grid 897 785). Mae rhai haneswyr brwydrau yn

lleoli'r frwydr yn ne'r dyffryn; mae eraill yn ffafrio'r dyffryn lletach yn y gogledd wrth droed Mynydd Hyddgen. Gan mai rhyw filltir sydd rhyngddynt, gallasai'r ymladd fod wedi ymestyn ar hyd y dyffryn gan i lawer o'r Saeson gael eu lladd yn yr ymlid ar ôl i'w byddin chwalu.

Bryncyn serth, gyda chopa fflat 1,850 troedfedd uwchlaw'r môr, yw Mynydd Hyddgen, yn cynnig llwyfan ardderchog i fyddin fechan i gadw gwyliadwriaeth. Mae sawl disgrifiad cynnar o'r frwydr yn ei lleoli ar y mynydd hwn ac yn dweud bod y fyddin estron yn 'amgylchynu gwersyll Glyndŵr'. Byddai Glyndŵr eisiau gwarchod safle'r gwersyll go iawn lle cedwid y gwartheg a'r ysbail ac mae'n debyg ei fod wedi 'gosod' ei fyddin yn fwriadol ar Fynydd Hyddgen. Byddai ganddo, o bosibl, tua 120 o'i filwyr ar feirch – merlod mynydd a chobiau Cymreig fyddai'r rheiny a fyddai'n llawer mwy effeithiol ar dir garw na chreaduriaid eu gelynion.

Mae'n bosib mai'n hwyr y dydd ar ôl i'r 1,500 gerdded i fyny'r dyffrynnoedd garw at droed Mynydd Hyddgen y bu'r frwydr. Mae'n bosib bod Glyndŵr wedi denu'r llu anghyfarwydd hwn i ymledu o amgylch godre'r mynydd a thrwy hynny, deneuo trwch y fyddin. Efallai ei bod hi'n niwlog, neu efallai fod yr haul yn machlud yn llygaid rhai o'i elynion erbyn hynny. Byddai ef wedi dewis y llethr gorau i'w wŷr meirch ruthro i lawr ar ei hyd a tharo'r gelyn â'u holl nerth mewn un man. Gan ei fod yn ymosodiad mor sydyn, ffyrnig a phenderfynol, ni chafodd y Saeson gyfle i glosio i'w wrthsefyll. Chwalwyd bwlch drwy'r cylch ac yn fuan roedd byddin gyfan y Saeson ar ffo, gyda thros ddau gant ohonynt yn gelain.

Ar y Cerrig Cyfamod, yn ôl traddodiad, tyngodd Glyndŵr a phob un o'i fyddin i barhau â'r frwydr nes eu bod wedi sicrhau rhyddid i'r Cymry. Yn sicr, bu buddugoliaeth Hyddgen yn hwb enfawr o blaid y gwrthryfelwyr. Cofnodwyd bod myfyrwyr Cymreig ym mhrifysgolion Rhydychen a Chaergrawnt wedi gadael eu llyfrau ac wedi ymuno â'i fyddin. Yn yr un modd, dychwelodd pladurwyr Cymreig o'r cynhaeaf yn Lloegr i godi arfau gwrthryfel. Aeth ei fyddin ymlaen i ymosod ar gestyll mor nerthol ag Aberystwyth, Harlech a Maesyfed.

Cynullodd Harri IV fyddin frenhinol arall – yng Nghaerwrangon y tro hwn – gan orymdeithio i Gymru ddechrau'r hydref. Gwnaethant fywyd y werin yn uffern drwy ladd, llosgi a lladrata a chwalu abaty mawreddog Ystrad Fflur ond ni chawsant unrhyw lwyddiant milwrol. Ar y ffordd yn ôl i Loegr, dangoswyd dyfnder eu rhwystredigaeth a'u hawydd i ddial pan wnaethant ddal tua 1,000 o blant Ceredigion, eu cadwyno a'u cipio o'u gwlad i fyw'n gaethweision am oes. Yn sŵn truenus wylo'r plant yr aeth y brenin yn ôl dros Glawdd Offa.

Bryn Glas

Lleoliad: Pyllalai, Maesyfed; Cyf. Grid 255 681
Brwydr: Cymry (Owain Glyndŵr)/Saeson
Dyddiad: 22 Mehefin 1402

Erbyn haf 1402, roedd rhan helaeth o Gymru ym meddiant Glyndŵr a'i ddilynwyr. Carcharwyd y catrodau Seisnig yn eu cestyll eu hunain gan eu gwneud yn hollol analluog i reoli'r wlad. Roedd gan y gwrthryfelwyr benrhyddid i ymgasglu, teithio a tharo'r gelyn fel y dymunent.

Tua'r dwyrain a'r gororau yr anelai un o fyddinoedd Owain ym Mehefin 1402. Yn ei argyfwng, galwodd Edmwnd Mortimer, 26 oed ac un o farwniaid cryfaf y gororau, filwyr swydd Henffordd ynghyd. Cynullwyd tua 2,000 o ddynion a 500 o wŷr meirch yn Llwydlo yng ngwaelod dyffryn Llugwy, gan gynnwys catrawd dda o saethwyr y bwa hir o blith Cymry'r Mers. Gorymdeithiodd y fyddin hon i fyny'r dyffryn gwlyb a choediog.

Disgwyliai byddin y Cymry amdanynt ar gopa Bryn Glas, Pyllalai, ac mae'n debyg mai Rhys Gethin o Nant Conwy, prif gadlywydd Owain, oedd yr arweinydd y diwrnod hwnnw. Roedd llai o niferoedd ganddo – tua 1,500 efallai – ond roedd yn fyddin gyflym, fedrus ac addas i'r tir. Mae'n bosib iddo guddio rhai o'i gatrodau dros ael y bryn gan roi'r argraff fod y niferoedd hyd yn oed yn llai nag oeddent mewn gwirionedd er mwyn denu'r Saeson i'r trap.

Dechreuodd byddin Mortimer ddringo'r llechwedd serth yn hyderus i gyfeiriad eglwys y Santes Fair. Nid oedd y tir yn addas i wŷr meirch a dyna gyfran o'i fyddin yn aneffeithiol bellach. Ar arwydd penodol, meddir, trodd gwŷr y bwa eu saethau at elynion y Cymry ac ymosododd byddin Rhys Gethin yn chwim a nerthol i lawr y llethr. Gweithiodd y cynllunio manwl yn berffaith i'r gwrthryfelwyr a chredir bod 1,100 o'r Saeson wedi'u lladd yn y gyflafan, gan gynnwys rhai o farchogion enwocaf eu gwlad. Daliwyd Mortimer yn garcharor. Roedd yn fuddugoliaeth ysgubol i'r Cymry a dywedir bod Saeson Llundain wedi hynny yn ofni bod Glyndŵr a'i filwyr am feddiannu a dial ar Loegr gyfan.

> 1. Bryn Glas, Pyllalai a bedd torfol y Saeson wedi'i nodi gan y goedlan wellingtonia; 2. Eglwys y Santes Fair; 3. Yr olygfa a welsai byddin Glyndŵr o gopa Bryn Glas

Cynigwyd Mortimer i'r goron am bridwerth, ond gwrthododd Harri'r cynnig i dalu amdano. Newidiodd y barwn ei ochr gan ymuno â Glyndŵr a selio'r cynghrair drwy briodi ei ferch. Yn ddiweddarach, creodd Glyndŵr, Mortimer a Henry Percy o ogledd Lloegr gytundeb tridarn a oedd yn bygwth ysbeilio sofraniaeth coron Llundain a rhannu'r deyrnas rhyngddynt.

Dyma ddechrau cyfnod gorau'r gwrthryfel i'r Cymry. Aeth Glyndŵr yn ei flaen i ennill brwydrau eraill a chipio sawl castell. Sefydlodd gadarnle iddo'i hun yng nghastell Harlech a galwodd senedd Gymreig ynghyd ym Machynlleth yn 1404, gyda chynrychiolaeth o bob cwmwd yng Nghymru. Cynghreiriodd â theyrnasoedd tramor ac amlinellodd ei freuddwyd am lywodraeth Gymreig yn gweinyddu Cyfraith Hywel yng Nghymru, gyda sefydliadau eglwysig ac addysgol y wlad yn Gymraeg ac yn annibynnol.

Pwll Melyn

Lleoliad: ger Brynbuga; Cyf. Grid 255 681
Brwydr: Cymry (Owain Glyndŵr)/Saeson
Dyddiad: Mai 1405

Nid hon oedd brwydr olaf y gwrthryfelwyr a bu ambell fuddugoliaeth i Owain Glyndŵr a'i gefnogwyr am dros ddeng mlynedd ar ôl hyn. Ond mae brwydr Pwll Melyn 1405 yn nodi'r amser pan ddechreuodd y llanw droi yn erbyn y Cymry. Roedd y rhan fwyaf o'r wlad yn rhydd o hyd ac ni fyddai cestyll Aberystwyth a Harlech yn disgyn i ddwylo'r Saeson – a fyddai'n tanio magnelau drwy ganon am y tro cyntaf yn hanes rhyfela – hyd 1408–09. Blocâd economaidd a llwgu'r Cymry a dynnodd y gwynt o hwyliau'r gwrthryfel yn y diwedd, yn hytrach na buddugoliaethau mewn brwydrau. Gwrthododd Owain ildio na derbyn cynnig o bardwn. Bu'n byw ar herw gyda chriw bychan o ffyddloniaid cyn diflannu'n llwyr o lygad y cyhoedd. Rhoddodd obaith a hyder yng nghalonnau'r Cymry a bu hynny'n ddigon i gadw'i freuddwyd yn fyw yn y tir am ganrifoedd ar ôl ei farw.

Eto, does dim dwywaith fod colli'r frwydr ym Mhwll Melyn wedi bod yn ergyd drom iddo, un a danseiliodd hyder ei ddilynwyr ac a olygodd alar personol iddo yntau.

Roedd carfan o ymosodwyr Owain, dan arweiniad Tudur ei frawd a Gruffudd ei fab hynaf, yn nesu at Frynbuga ar hyd cefnen o fryniau o'r gogledd-ddwyrain. Roeddent ar gyrch yn sir Fynwy yn llosgi cestyll a threfi'r gelyn. Nid oeddent yn niferus iawn ac mae'n debyg eu bod wedi'u harfogi'n ysgafn ar gyfer ymosod a symud ymlaen yn gyflym.

Yn ddiarwybod iddynt, roedd y Tywysog Hal (mab Harri IV) a byddin o 3,500 wedi gadael Henffordd i gryfhau'r niferoedd yng nghestyll Mynwy ac erbyn dechrau Mai, roedd honno wedi cyrraedd Brynbuga, gydag archfradwr y Cymry – Dafydd Gam – yn un o'r tywyswyr. Pan glywyd bod y Cymry'n nesu at y dref, aeth byddin fawr y Saeson dros y gefnen uwch y castell i'w cyfarfod. Ymosododd y Cymry arnynt yn gyflym, ond roeddent yn erbyn niferoedd llawer uwch. Trodd y frwydr o blaid y Saeson a lladdwyd llawer o'r Cymry wrth iddynt geisio ffoi.

Ymysg y colledion roedd Tudur, brawd

USK CIVIC SOCIETY 2005

Area of the
Battle of Pwll Melyn
1405

✕

Maes Brwydr
Pwllmelyn

Cymdeithas Ddinesig Brynbuga

Pwll Melyn ¼ m

✂

1405

Owain, a rhyfelwr profiadol arall o'r enw Hopcyn ap Tomos. Daliwyd Gruffudd, y mab hynaf, yng nghoed Monkswood ac aed ag ef i garchar Tŵr Llundain lle bu farw yn 1411. Daliwyd 300 o'r Cymry eraill a thorrwyd eu pennau o flaen y castell ar ôl y frwydr.

I'r gogledd-ddwyrain o gastell Brynbuga (dde) mae llwybr wedi'i arwyddo at safle brwydr Pwll Melyn, a chodwyd plac i nodi'r hanes yn 2005. Yno, mewn pant yn y bryniau, roedd pwll llysnafeddog a budr ar un adeg a phan gafodd ei lanhau i greu cronfa fechan i'r rheilffordd islaw, canfuwyd llawer o sgerbydau ynddo. Sychwyd y tir corsiog ac mae yno gaeau amaethyddol bellach ond gwelir olion coedwig Monkswood ar lawr y dyffryn islaw, lle'r ymlidiwyd ac y daliwyd llawer o'r Cymry ar ôl y frwydr.

Llanidloes a Chasnewydd

Lleoliad: Llanidloes; Cymoedd Gwent
Brwydr: Siartwyr/Milwyr
Dyddiad: 1839

Wedi gwrthryfel Glyndŵr, ni fu gwrthryfel arfog arall ar dir Cymru rhwng byddin agored a'r grym yn Llundain. Eto, bu'r materion a gyflwynwyd ganddo yn y ddogfen bwysig honno, Llythyr Pennal 1406 – sef llythyr at frenin Ffrainc – ar yr agenda wleidyddol yng Nghymru am y chwe chanrif nesaf.

Mae Llythyr Pennal, er enghraifft, yn amlinellu gweledigaeth Glyndŵr am weinyddiaeth grefyddol yng Nghymru – bod yr eglwys yn annibynnol ar Archesgob Caergaint a bod yr offeiriaid yn medru'r Gymraeg. Bu gwrthryfeloedd mewn rhannau eraill o ynysoedd Prydain yn erbyn yr Eglwys Brotestannaidd a gyflwynwyd gan Harri VIII ac Elizabeth I – ond nid yng Nghymru. Un o'r rhesymau a gyflwynir gan haneswyr i esbonio hynny yw bod coron Llundain wedi comisiynu cyfieithiad swyddogol o'r Beibl i'r Gymraeg a phan gyhoeddwyd hwnnw yn 1588, roedd hi'n ddeddf bod copi ar gael ym mhob eglwys yng Nghymru, a rhannau Cymraeg o'r gororau, a bod yr offeiriaid i fod i'w ddefnyddio bob Sul. Cafodd cyfieithiad clasurol yr Esgob William Morgan groeso mawr gan y Cymry a bu'n sylfaen i ryddiaith fodern yn yr iaith. Pan ddatgysylltwyd yr Eglwys yng Nghymru yn 1920, daeth rhan o weledigaeth Llythyr Pennal yn realiti.

Wrth alw sawl senedd ynghyd ym Machynlleth, Dolgellau a Harlech, heuodd Glyndŵr y syniad o lywodraeth gyda chynrychiolaeth o bob rhan o'r wlad i Gymru. Gan i'r Cymry bleidleisio dros hunanreolaeth yn 1997 a chyda'r pwerau ychwanegol y mae Senedd Cymru'n eu sicrhau yn gyson, mae democratiaeth ddatganoledig ar waith yma erbyn hyn.

Ni fu'r daith honno yn un hawdd. Er i ferched y Wladfa annibynnol a sefydlwyd gan y Cymry ym Mhatagonia yn 1865 gael yr hawl i bleidleisio (hyd nes i wladwriaeth yr Ariannin ei llyncu ugain mlynedd yn ddiweddarach), bu'n rhaid i ferched Cymru aros tan 1928 i lywodraeth Llundain roi'r hawl honno iddynt a hynny

> 1. Neuadd y Farchnad, Llanidloes;
> 2. Ymosodiad y milwyr ar Siartwyr Casnewydd

wedi i Gymru brofi tipyn o weithredu gan y mudiad dros bleidlais i ferched. Mudiad arall a frwydrai dros ymestyn yr hawl i bleidleisio oedd y Siartwyr, a adweithiodd rhwng 1836 ac 1842 i'r newidiadau a fu yn y boblogaeth, yn bennaf yn yr ardaloedd diwydiannol. Er ei fod yn fudiad drwy Brydain a bod chwe phwynt y siarter wedi'u cofnodi gan gymdeithas o weithwyr yn Llundain, yng Nghymru y bu'r gwrthdaro enbytaf.

Cymru, wrth gwrs, oedd y wlad ddiwydiannol gyntaf yn y byd ac roedd ardaloedd y diwydiannau hynny'n Gymreig a chyda'u cymeriad unigryw eu hunain. Cyfarfu'r Siartwyr yn gyson ym maes glo'r de a hefyd yn nhrefi'r diwydiant gwlân yn nyffryn Hafren – areithio a deisebu oedd eu dull o weithredu. Er hynny, roedd yr awdurdodau'n rhagdybio y byddai'r protestio'n arwain at drais ac anfonwyd milwyr i'r ardaloedd hynny.

Daeth heddlu o Lundain i Lanidloes ar 20 Ebrill 1839 ac ymosododd tyrfa o weithwyr ffatri ar eu gwesty. Bu'r dref dan reolaeth y Siartwyr am wythnos, ond yna amgylchynwyd hi gan wŷr meirch ac anfonwyd milwyr traed i chwilio'r tai. Alltudiwyd tri o'r arweinwyr yn yr achosion llys a ddilynodd.

Ar 4 Tachwedd 1839, gorymdeithiodd 5,000 o weithwyr Blaenau Gwent i Gasnewydd. Roedd amgylchiadau byw a gweithio yn y cymoedd diwydiannol yn arswydus ac roedd bygythiad y byddai'r gweithwyr yn meddiannu a rheoli'r ardal gan greu cyfundrefn 'chwyldroadol a fyddai'n ysgubo'r deyrnas', meddai John Davies. Ymosododd y gorymdeithwyr ar westy'r Westgate lle'r oedd mintai o filwyr. Taniodd y milwyr at y dorf o ffenestri'r gwesty a lladdwyd o leiaf ugain o Siartwyr. Dygwyd yr arweinwyr o flaen llysoedd a chondemniwyd wyth i'w dienyddio am deyrnfradwriaeth. Yn y diwedd, newidiwyd y ddedfryd gan yrru pump i garchar a'r tri arall i Van Diemen's Land.

Merthyr Tudful

Lleoliad: *Merthyr Tudful*
Brwydr: *Gweithwyr haearn/Milwyr*
Dyddiad: *Mehefin 1831*

Tyfodd Merthyr Tudful i fod yn un o ganolfannau diwydiannol pwysicaf y byd pan sefydlodd teulu'r Crawshays o swydd Efrog ffwrneisi haearn mwyaf y byd ar y pryd yng Nghyfarthfa. Roedd carreg galch, glo a mwyn haearn ar gael yn yr ardal a digon o bŵer dŵr wrth droi grym o afonydd Taf. Agorwyd camlas i gysylltu ffwrneisi Cyfarthfa a ffwrneisi eraill yn yr ardal â Chaerdydd yn 1794, gan ostwng pris cludiant yn sylweddol a chreu diwydiant cadarn a fyddai'n ehangu a chreu cyfoeth eithriadol i'r perchnogion yn ystod rhyfeloedd Napoleon.

Erbyn 1804, roedd 1,500 o weithwyr yng ngwaith Crawshay yng Nghyfarthfa'n unig – ac roedd yn dal i ehangu. Heidiodd gweithwyr yno o bob man. Roedd y nos yn goch gan fflamau'r ffwrneisi a'r dydd yn ddu a melyn gan nwyon y swlffwr a'r glo. Rhwng 1800 ac 1840, tyfodd poblogaeth Merthyr o 7,705 i 35,000, ac roedd rhannau ohoni'n fudr a thlawd lle'r oedd afiechydon yn rhemp. Lladdodd colera dros 1,500 yno yn 1849. Ar y llaw arall, gwariodd y Crawshays ffortiwn ar godi 'castell' iddynt eu hunain yn 1825, gyda 72 o ystafelloedd ynddo ar gyfer un teulu.

Dyma graidd y Chwyldro Diwydiannol cynnar. Ond arweiniodd y sgileffeithiau annymunol at helyntion rhwng y gweithwyr a'r perchnogion. Bu protestiadau torfol ac arweiniodd hynny at drais weithiau. Yr enwocaf oedd Terfysg Merthyr 1831 pan feddiannwyd y dref gan y werin a phan yrrodd yr awdurdodau

Codi'r 'Faner Goch' ym Merthyr

1

2

ROBERT THOMPSON UNGANGI
DIED MAY 19 1792
AGED 52 YEARS
GOD FORGIVE ME

3

I DIC PENDERYN
GANED RICHARD LEWIS
YM 1808. YN ABERAFAN
CROGWYD yng NGHARCHAR
CAERDYDD ar AWST 13-1831
AR OL Y TERFYSG YM
MERTHYR YR UN FLWYDDYN
MERTHYR GWEITHWYR CYMRU

BORN RICHARD LEW
IN 1808 IN ABERAVO
AND HANGED at CARD
GAOL ON AUGUST 13TH
FOLLOWING THE MERT
INSURRECTION OF THA
A MARTYR OF
WELSH WORKING

filwyr y 93rd (Highland) Regiment yn eu herbyn. Lladdwyd trigain o'r dorf ac anafwyd rhai o'r milwyr, gydag un ohonynt yn cael ei ladd. Cyhuddwyd llanc ifanc o'r enw Richard Lewis – Dic Penderyn – o ladd y milwr ac er bod y dystiolaeth yn simsan, crogwyd Dic y tu allan i garchar Caerdydd ar 13 Awst y flwyddyn honno.

Roedd yno filoedd yn gwylio'r weithred. Yn 1874, yn America, cyffesodd gweithiwr arall ar ei wely angau mai ef oedd wedi lladd y milwr ym Merthyr. Cofir am Dic fel merthyr cyntaf y gweithiwr diwydiannol ac mae dwy frawddeg wedi'u cadw o'r cyfnod cythryblus hwnnw. Geiriau olaf Dic Penderyn, na fwytaodd damaid o fwyd ar ôl cyhoeddi'r ddedfryd yn ei erbyn, oedd 'O Arglwydd, dyma gamwedd'. Geiriau olaf Robert Thompson Crawshay, yr olaf o'r meistri haearn, a fu farw yn 1879, oedd 'God forgive me', a dyna sydd ar ei garreg fedd.

Yn anffodus, nid ym Merthyr yn unig y defnyddiwyd catrodau o filwyr Prydain i ymosod ar weithwyr Cymru. Cawsant eu defnyddio ar sawl achlysur pan oedd glowyr a gweithwyr eraill yn galw am amodau gwell a chyflogau tecach. Gorfodwyd glowyr yr Wyddgrug i ildio i rym y wladwriaeth a'r meistri drwy ddod â'r milwyr i mewn yn 1869 – a lladdwyd pedwar o bobl gyffredin. Bu ymyrraeth filwrol yn streic Chwarel y Penrhyn ym Methesda yn 1900–03. Ymosodwyd ar wŷr y rheilffordd yn Llanelli (1911) gan dros 600 o filwyr a lladdwyd dau ohonynt. Pan gyhoeddwyd bod Winston Churchill i'w anrhydeddu drwy roi ei lun ar arian plastig yn 2016, cododd storm o brotest yng Nghymru gan mai Churchill oedd yn gyfrifol am yrru'r milwyr i sathru ar y gweithwyr yn Nhonypandy yn 1911.

Parhaodd y wladwriaeth i ymyrryd yn llawdrwm mewn anghydfodau diwydiannol, ac mae atgofion chwerw yng nghymunedau glofaol Cymru am streic y glowyr 1984–85 pan arfogodd Margaret Thatcher yr heddlu parafilwrol â grym gwleidyddol i dorri'r streic.

1. *Castell Cyfarthfa, Merthyr; 2. Bedd un o'r Crawshays; 3. Cofio Dic Penderyn*

Yr Efail-wen

Lleoliad: Yr Efail-wen, gorllewin sir Gaerfyrddin
Brwydr: Terfysg Beca
Dyddiad: Mai 1839

Yn cyd-fynd â'r anghydfod diwydiannol yng nghymoedd y glo a'r haearn, roedd drama wleidyddol a chymdeithasol yn codi'i phen yn y Gymru wledig. Roedd Caerfyrddin yn ganolfan radicaliaeth a bu terfysg yno oherwydd tlodi yn 1831. Cyn bo hir, byddai gwladwyr y gorllewin yn mynegi eu hanfodlonrwydd â'u hamgylchiadau.

Yn 1839, codwyd tollborth newydd yn yr Efail-wen, wrth y ffin rhwng siroedd Penfro a Chaerfyrddin. Giât ar draws y ffordd a thŷ tyrpeg wrth ei hymyl oedd tollborth a byddai ceidwad y tyrpeg yn codi toll ar bawb a ddefnyddiai'r ffordd fawr. Bwriad y system hon oedd codi arian i wella cyflwr y ffyrdd ac adeiladu ffyrdd newydd, ond roedd y cwmnïau tyrpeg yn rhai barus. Roedd y clwydi'n agos at ei gilydd gan roi costau sylweddol ar bob taith i'r farchnad neu i'r harbwr i nôl glo a chalch. Yn 1833, pasiwyd deddf i godi pris y tollau – byddai pum ffordd dyrpeg yn dod i mewn i Gaerfyrddin gyda tholl o 6 cheiniog ar geffyl a throl, swllt a 6 cheiniog ar 20 o wartheg a swllt ar 20 o ddefaid.

Disgynnodd y prisiau yn y marchnadoedd ac roedd rhenti'n uchel yn yr un cyfnod – roedd anghyfiawnder yn berwi drwy gefn gwlad.

Yn yr Efail-wen y bu'r ymosodiad cyntaf. Dan arweiniad Twm Carnabwth (Thomas Rees) o Fynachlog-ddu, ymgasglodd dynion mewn dillad merched gyda pharddu ar eu hwynebau. Galwyd yr arweinydd yn 'Rebeca', ar ôl y cymeriad beiblaidd oedd yn fam i 'filoedd' ac wedi meddiannu giatiau'r rhai oedd yn ei chasáu. Galwyd y fintai yn 'Merched Beca' a chyda bwyeill ac offer malu, gorymdeithiwyd yn yr oriau mân at y glwyd newydd yn yr Efail-wen, ei dinistrio a llosgi'r tollborth. Cyn diwedd 1844, byddai 140 o dollbyrth eraill wedi'u dinistrio a'u llosgi yng ngorllewin a chanolbarth Cymru.

Aeth y terfysg yn fwy treisgar wrth ledaenu ac ambell dro byddai cannoedd yn y rhengoedd. Roedd sawl 'Beca' lleol ac

Cofeb ymosodiad cyntaf Merched Beca ar dyrpeg yr Efail-wen

GYFERBYN Â'R GARREG
HON, AR Y 13EG O FAI
1839, Y DINISTRIWYD
TOLLBORTH AR Y FFORDD
DYRPEG AM Y TRO
CYNTAF, A THRWY
HYNNY DECHREUWYD
RHYDDHAU FFYRDD
Y WLAD

mae haneswyr yn tybio mai Hugh Williams, cyfreithiwr radical yng Nghaerfyrddin, oedd gwir arweinydd y terfysgoedd, ond dim ond ychydig iawn o'r gweithredwyr a ddygwyd gerbron llysoedd a'u halltudio.

Anfonwyd rhagor o heddlu a milwyr i dde Cymru a chynigwyd rhwng £50 a £500 am wybodaeth am y terfysgwyr, ond roedd rhwydwaith ysbïo a rhannu gwybodaeth Merched Beca yn drech na'r awdurdodau. Âi'r gwŷr meirch i un cyfeiriad ond byddai Beca'n taro i'r cyfeiriad arall.

Ym Mehefin 1843, ymgasglodd dwy fil o brotestwyr yng Nghaerfyrddin ac roedd y terfysg ar fin troi'n wrthryfel agored yn erbyn tloty'r dref. Carlamodd milwyr y 4th Light Dragoon i'r dref ac ymosod arni.

Ond gwrandawyd ar y cwynion mewn pryd. Sefydlwyd comisiwn ac yn 1844 cyhoeddodd hwnnw fod achos cyfiawn gan ffermwyr cefn gwlad Cymru. Tynnwyd clwydi anghyfreithlon i lawr a chafwyd system decach.

Rhyfel y Sais Bach

Lleoliad: Ardal y Mynydd Bach, Ceredigion
Brwydr: Gwerinwyr Tir Comin/Tirfeddianwyr
Dyddiad: 1820–1828

Daeth Rhyfeloedd Napoleon i ben yn 1815 a dychwelodd milwyr i wlad lle nad oedd gwaith ar eu cyfer. Bu dirwasgiad yn y diwydiannau trymion gan fod llawer llai o alw am haearn a dur i ryfela. Ar ben hynny, cynyddodd y boblogaeth – gwelwyd 20,000 yn fwy yng Ngheredigion o fewn 30 mlynedd.

Aeth miloedd o gefn gwlad i'r ardaloedd diwydiannol oedd yn ehangu, ond defnyddiodd eraill eu hawliau i godi bythynnod unnos ar dir comin y rhosydd a'r mynyddoedd. O dan yr hen drefn honno, gallai teulu feddiannu darn o dir o gwmpas tŷ a godwyd ganddo ef a'i deulu a'i gyfeillion mewn un noson. Codwyd nifer helaeth o'r tai hyn ar ddechrau'r ganrif honno – yn arbennig yng Ngheredigion a siroedd Caernarfon a Maesyfed.

Gwelodd rhai meistri tir y twf yn y boblogaeth fel cyfle i ddatblygu amaethyddiaeth ac i wneud arian drwy werthu cynnyrch i'r ardaloedd diwydiannol. Dyna ddod â'r tirfeddianwyr a'r tyddynwyr benben â'i gilydd – ond roedd cyfraith Llundain o blaid y meistri tir, wrth gwrs. Pasiwyd deddfau yn y Senedd yn rhoi hawl i'r teuluoedd bonedd gau tir comin a chreu stadau mawr – ac roedd hynny'n golygu troi teuluoedd tlawd o'r tai unnos.

Yn 1812, roedd poblogaeth fawr yn byw mewn tyddynnod bychain ar fynydd-dir yr Eifl ger Llithfaen, Llŷn. Er mwyn paratoi i ddwyn y tir drwy ddeddf gwlad, anfonodd gŵr y plas swyddogion yno i fesur y tir. Roedd y tyddynwyr yn bwriadu eu rhwystro. Gan ddefnyddio cragen fôr fawr fel corn, galwodd Robert William Hughes, Cae'r Mynydd ar i'r trigolion lleol ddod i atal y swyddogion rhag gwneud eu gwaith ar ôl iddynt gyrraedd Llithfaen. Taflwyd cawodydd o gerrig at y mesurwyr tir. Ond cyn hir, cyrhaeddodd y Dragŵns a daliwyd rhai o'r terfysgwyr a'u carcharu am chwe mis. Bu terfysg arall yno ym Mawrth 1813 a'r tro hwn daliwyd Robert Hughes ac arweinydd arall gan y Dragŵns a chawsant eu dedfrydu i'w crogi. Newidiwyd hynny'n ddiweddarach i alltudiaeth oes yn Botany Bay. Cipiwyd y tir comin gan y meistr tir i

Cae'r Mynydd, Llithfaen

greu caeau i'w ddefaid, ond mae adfeilion Cae'r Mynydd i'w gweld yno o hyd.

Dyma'r patrwm drwy Gymru. Ar ddiwedd y rhyfeloedd, amgaewyd 50,000 acer o dir yn y dull hwn yn siroedd Brycheiniog a Cheredigion yn unig. Dyna a achosodd y gwrthdaro yn ardal y Mynydd Bach yng nghanol Ceredigion. Yn 1816, deddfodd y Senedd fod 5,000 o erwau o'r mynydd i'w dwyn oddi ar y tir comin.

Collodd llawer o drigolion y tai unnos eu hawliau i drin y tir ac i bori'u hanifeiliaid. Pledwyd swyddogion gyda cherrig yno hefyd.

Yna daeth Sais cyfoethog o'r enw Augustus Brackenbury a phrynu 850 erw o'r tir hwn ym Mynydd Bach – dyn byr, styfnig ydoedd a'r 'Sais bach' oedd enw'r Cymry arno. Yn 1820 dechreuodd y Sais Bach a'i weithwyr godi clamp o blasty ar yr

hen dir comin ond bob nos, byddai'r Cymry'n dod a chwalu'r gwaith. Cyflogodd Brackenbury wylwyr garw i amddiffyn ei eiddo ac aeth pethau o ddrwg i waeth. Ar 11 Gorffennaf, daeth 'byddin' fawr o bobl leol, rhai mewn dillad merched a chadachau dros eu hwynebau, i ymosod ar y plasty. Llusgwyd y Sais Bach allan o'i dŷ a llosgwyd y plasty i'r llawr. Cynigiodd Brackenbury £100 o wobr am enwau'r terfysgwyr ond ni fradychwyd neb.

Un styfnig oedd y Sais Bach. Ceisiodd godi adeiladau eraill ar ei dir, gan gynnwys un gydag amddiffynfeydd castellog gyda ffos o'i gwmpas. Ar 24 Mai 1826, rhuthrodd 600 o ddynion i lawr o'r mynydd, pontio'r ffos a malu'r tŷ. Ymhen dwy flynedd, rhoddodd Brackenbury y gorau i geisio arfer ei 'hawliau' a dychwelodd i Loegr.

Parhaodd tir ac eiddo yn destunau dadl yng Nghymru. Sawl gwaith dros y ddau gan mlynedd diwethaf, daeth brwydr y bobl i geisio cael yr awdurdodau i barchu eu hawliau i fyw a gweithio ar y tir yn asgwrn cynnen.

Cangen o'r gwrthdaro hwnnw oedd 'Rhyfel y Degwm'. Yn draddodiadol roedd yr Eglwys Babyddol yn hawlio degfed ran o gynnyrch y tir yn yr Oesoedd Canol ond wedi'r Diwygiad Protestannaidd dan Harri VIII, trosglwyddwyd y dreth honno i Eglwys Loegr neu i'r meistr tir. Erbyn 1880, roedd y mwyafrif helaeth o Gymry wedi troi'u ccfnau ar Eglwys Loegr ac yn addoli yn eu capeli Cymreig, annibynnol eu hunain. Gwrthwynebent dalu'r degwm, yn arbennig felly pan oedd hi'n wasgfa ar fyd amaeth. Yn 1886, gwrthododd ffermwyr yn nyffryn Clwyd dalu'r degwm ac anfonwyd beilïaid i'w ffermydd i ddwyn stoc oedd yn cyfateb i werth y degwm. Daeth tyrfa fawr o ffermwyr i herio'r beilïaid ac atal yr arwerthiannau ac ymledodd y terfysg drwy gefn gwlad Cymru, gyda'r digwyddiadau mwyaf difrifol yn Llangwm yn haf 1887 pan fu gwrthdaro rhwng cannoedd o ffermwyr a phlismyn a phan fygythiwyd boddi'r arwerthwr yn yr afon. Bu achos llys ac ymgyrch wleidyddol gan y wasg radical Gymraeg ac aelodau seneddol Cymru, ac yn 1891 pasiwyd deddf yn gorfodi'r meistri tir, nid y ffermwyr, i dalu'r degwm.

Ardal y Mynydd Bach yng nghanol Ceredigion

Penyberth

Lleoliad: Penrhos, ger Pwllheli, Llŷn
Brwydr: Cymry/Llywodraeth Llundain
Dyddiad: 8 Medi 1936

Ar adegau o ryfel a heddwch yn ystod yr ugeinfed ganrif, arferai'r llywodraeth yn Llundain ei 'hawl' i feddiannu darnau o dir Cymru at ddefnydd ei lluoedd arfog, gan droi'r bobl leol o'u tai ac oddi ar eu ffermydd. Un o'r enghreifftiau tristaf oedd yr hyn ddigwyddodd ym Mynydd Epynt yn sir Frycheiniog yn 1940 pan gymerodd y Swyddfa Ryfel feddiant ar 40,000 o aceri o dir pori ardderchog. Trowyd 80 o deuluoedd o'u ffermydd – 400 o bobl. Mae'r lle yn dal yn nwylo'r weinyddiaeth ryfel ac wedi'i lygru gan ffrwydron am byth.

Yn 1946, roedd dros hanner miliwn o aceri o dir Cymru yn nwylo'r Swyddfa Ryfel – degfed ran o holl ddaear y wlad. Yn 1951, ceisiodd Llundain ychwanegu 10,000 acer at y miloedd o aceri oedd gan y lluoedd arfog eisoes yn Nhrawsfynydd, ond bu protestio heddychlon llwyddiannus yno. Dan arweiniad Plaid Cymru, caewyd y ffordd i'r gwersyll am ddeuddydd. Rhwng 1946 ac 1948, bu ymgyrch lwyddiannus ym mynyddoedd Preseli, Penfro i atal 60,000 acer rhag mynd i grafangau'r Swyddfa Ryfel. Drwy ymgyrchu cyfansoddiadol lleihawyd gafael y lluoedd arfog ar ddwy ran o dair o'r tiroedd oedd ganddynt yng Nghymru.

Ond ni felly y bu ym Mhenrhos ger Pwllheli. Ar 1 Mehefin 1935, cyhoeddwyd bod llywodraeth Llundain am sefydlu gwersyll arfau, maes awyr ac ysgol fomio ar dir hen blasty Penyberth yn Llŷn. Bu ymgyrch leol a chenedlaethol i wrthwynebu hyn gyda llywodraeth leol, aelodau seneddol, a mudiadau cenedlaethol, llenyddol a chrefyddol yn gwrthwynebu'n gryf. Roedd dau safle wedi'u hystyried yn Lloegr ond penderfynwyd peidio â'i sefydlu yn Northumberland (am fod yr ardal yn gartref i fath arbennig o hwyaden) nac yn Dorset (am fod math arbennig o elyrch yno).

Erbyn Awst 1936, roedd hanner miliwn o Gymry wedi mynegi eu gwrthwynebiad i'r cynllun gan bwysleisio pwysigrwydd hanesyddol Llŷn a'r gymdeithas Gymraeg oedd yn byw yno. Ond aed ymlaen i

Cofeb 'Tri Penyberth' ym Mhenrhos

chwalu'r plasty a chlirio'r tir ar gyfer codi'r gwersyll milwrol.

Yn oriau mân 8 Medi 1936, codai fflamau i awyr y nos uwch cytiau'r ysgol fomio. Roedd yr awyr yn goch a churodd tri o arweinwyr Plaid Cymru ar y pryd ar ddrws swyddfa'r heddlu ym Mhwllheli i gofnodi mai nhw oedd yn gyfrifol am y tân oedd bellach yn dinistrio'r ysgol fomio yn llwyr. Gyda chymorth ychydig o weithredwyr cudd, roeddent wedi cario tanwydd a chwistrellwyr i'r gwersyll ac o fewn ychydig funudau roedd y cyfan yn wenfflam.

Yn yr achosion llys a ddilynodd, cafodd 'Tri y Tân yn Llŷn', fel y daethpwyd i'w hadnabod – Saunders Lewis, D. J. Williams a Lewis Valentine (darlithydd, athro a

gweinidog) – gyfle i ddadlau eu hachos a chyflwyno'u rhesymau. Methodd Brawdlys Caernarfon â chael y tri yn euog a symudodd yr awdurdodau yr achos i'r Old Bailey yn Llundain lle cawsant eu dedfrydu i naw mis o garchar.

Daeth 15,000 i bafiliwn Caernarfon i groesawu'r tri o'r carchar ac nid anghofiodd Cymru'r Tân yn Llŷn a'r gweithredu uniongyrchol yn erbyn eiddo, ond eto heb beryglu bywydau. Bu'r gweithredu uniongyrchol hwnnw – union bedwar can mlynedd wedi Deddf Uno Cymru wrth Loegr – yn ysbrydoliaeth i ymgyrchoedd gwleidyddol dros hunanlywodraeth i Gymru ac ymgyrchoedd tor cyfraith dros y Gymraeg yn hanner olaf yr ugeinfed ganrif.

Erbyn ail hanner yr ugeinfed ganrif, roedd imperialaeth economaidd yn golygu bod teuluoedd cefnog o Loegr yn medru fforddio prynu bythynnod a thai ym mhentrefi arfordirol a chefn gwlad Cymru fel ail gartrefi, tra oedd y Cymry lleol yn methu fforddio prynu eu cartref teuluol cyntaf. Bu protestio torfol a'r slogan oedd 'Tai a Gwaith i Gadw'r Iaith' gan fod colli teuluoedd o'r ardaloedd Cymraeg yn tanseilio'r cymdeithasau Cymraeg yno.

Meddiannwyd tai haf gan aelodau o Gymdeithas yr Iaith, gyda phobl leol yn cario bwyd iddynt. Ond ni luniwyd mesurau gwarchodol i gynorthwyo'r gymdeithas leol i gael tai yn eu hardaloedd eu hunain.

Erbyn diwedd y 1970au roedd y gwahaniaeth rhwng cyflogau a gwerth eiddo yn ninasoedd Lloegr a Chymru wledig ar ei waethaf. Roedd 7,700 o dai haf yng ngogledd Cymru'n unig, gyda'u hanner yn Llŷn ac Eifionydd. Roedd dros hanner tai ambell bentref yn dai haf. Aeth refferendwm 1 Mawrth 1979 yn erbyn pwerau datganoli i Gymru a daeth Margaret Thatcher a'i Thorïaeth eithafol i rym. Nid oedd modd gwarchod tir a chymdeithasau Cymru.

Yna, yn oriau mân 13 Rhagfyr, bu tân yn Nhyddyn Gwêr, tŷ haf ar Fynydd Nefyn, ac mewn tŷ haf arall yn Llanbedrog. O fewn ychydig ddyddiau, llosgwyd un arall ym Mhennal, ger Machynlleth, a dau arall wedyn yn Llanrhian, sir Benfro. Roedd yr ymgyrch losgi wedi dechrau. Erbyn diwedd y mis cyntaf, bu 22 o danau ar hyd ac ar led gorllewin a chanolbarth Cymru; ymhen blwyddyn cynyddodd y nifer i 50.

Ar 6 Chwefror 1981, cyrhaeddodd

Gweddillion tai haf wedi ymgyrch Meibion Glyndŵr

llythyr oddi wrth fudiad o'r enw 'Meibion Glyndŵr' swyddfa'r BBC ym Mangor yn derbyn cyfrifoldeb am yr ymosodiadau ar eiddo. Parhaodd y llosgi hyd ddechrau'r 1990au gan ddifrodi dros 200 o dai haf ond er presenoldeb y gwasanaethau cudd yng Nghymru, cynnig o £80,000 am wybodaeth ac arestio llu o genedlaetholwyr amlwg, ni ddygwyd yr un o Feibion Glyndŵr i'r ddalfa am losgi tai haf.

Er mai gweithredu cudd oedd hanfod y mudiad, roedd cefnogaeth gyhoeddus amlwg i'r Meibion a hynny'n cael ei amlygu mewn caneuon, crysau-T, cartwnau ac ym marddoniaeth y cyfnod. Ni chanfuwyd ateb gwleidyddol i'r broblem economaidd, ieithyddol a chymdeithasol hon, ond gyda'r dirwasgiad yn effeithio ar brisiau tai erbyn diwedd y 1980au, daeth y gweithredu i ben.

Llangyndeyrn

Lleoliad: Cwm Gwendraeth Fach
Brwydr: Cymry/Corfforaeth Abertawe a'r gyfraith
Dyddiad: 1959–64

Rhwng 1880 ac 1965, mynnodd nifer o drefi a dinasoedd Lloegr feddiannu cymoedd yng Nghymru, gorfodi'r Cymry lleol i adael eu cartrefi a chreu cronfeydd dŵr.

Boddwyd hen bentref Llanwddyn, nifer o ffermydd a thyddynnod a 1,120 acer o dir amaethyddol i greu cronfa ddŵr Efyrnwy ym Maldwyn yn yr 1880au er mwyn cael dŵr i Lerpwl. O'r 1890au hyd 1952, codwyd pum argae anferth yn nyffrynnoedd Elan a Chlaerwen ger Rhaeadr Gwy i gasglu dŵr i Birmingham a'r ardal. Pasiwyd deddf seneddol oedd yn rhoi hawl i gorfforaeth y ddinas honno orfodi pobl i adael eu cartrefi i wneud lle i'r llynnoedd, a hynny heb fod angen caniatâd cynllunio gan unrhyw awdurdod Cymreig. Symudwyd cant o bobl o'r dyffrynnoedd hynny, a dim ond y meistri tir oedd yn derbyn iawndal gan Birmingham.

Boddwyd cwm ar Fynydd Hiraethog i greu Llyn Alwen i ddisychedu Birkenhead yn 1909–21, a dechreuwyd adeiladu cronfa ddŵr Clywedog ger Llanidloes drwy ddeddf seneddol arall yn 1963. Boddwyd 615 o aceri o dir amaethyddol er gwaethaf gwrthwynebiad cryf yn lleol.

Efallai mai hanes Cwm Tryweryn yw'r un enwocaf. Gorfododd Lerpwl 48 o bobl i adael pentref Capel Celyn, ger y Bala, gan chwalu capel ac ysgol, a boddi 800 acer i greu cronfa ddŵr. Defnyddiwyd grym senedd Llundain eto i orfodi'r cynllun. Bu protestio helaeth ac ymosodiadau ar y gwaith adeiladu. Yn 2005, cynigiodd dinas Lerpwl ymddiheuriad swyddogol am y trais yn erbyn pobl a thir Cymru.

Yng Nghwm Tryweryn y bu'r gwrthwynebu cryfaf, a hynny ar raddfa genedlaethol. Ond yma hefyd y teimlodd Cymru gyfan nad oedd ganddi unrhyw fath o bŵer i wrthsefyll penderfyniadau'r Saeson os oedd eu bryd ar foddi cymoedd y wlad. Ffurfiwyd Pwyllgor Amddiffyn Tryweryn gyda chefnogaeth mudiadau a nifer o unigolion amlwg; galwodd Maer Dinas Caerdydd gyfarfod protest lle daeth 300 o gynrychiolwyr awdurdodau lleol ac undebau ac eraill i fynegi'u gwrthwynebiad. Cyflwynwyd Mesur Boddi

1. Argae Cwm Tryweryn;
2. Argae Cwm Elan; 3. Argae Clywedog

Cwm Tryweryn yn Senedd San Steffan ar 1 Awst 1957 ac er i bob un aelod seneddol o Gymru, heblaw un, bleidleisio yn ei erbyn, cafodd ei gario gan gefnogaeth aelodau o Loegr. Dechreuwyd ar y gwaith o glirio'r tir ac adeiladu'r argae.

Ond parhaodd y protestio yng Nghymru. Tyfodd Cwm Tryweryn yn symbol pwerus o'r genedl gyfan. Er mor anobeithiol oedd tynged y cwm erbyn hynny, trodd y penodau olaf yn angladd cenedlaethol – cau'r ysgol, gwasanaeth olaf y capel, arwerthiant ar y ffermydd, y trigolion yn gadael. Cododd y gwres gwleidyddol yng Nghymru a dechreuwyd ymgyrchu am hawliau i'r Cymry a'r iaith Gymraeg ar sawl ffrynt.

Yn Chwefror 1963, penderfynodd tri gweithredwr osod bom yn ymyl trawsnewidydd trydan ar safle adeiladu Tryweryn. Gwnaed difrod i'r offer yno ond oherwydd eira trwm, llwyddwyd i ddilyn trywydd y tri ac fe'u carcharwyd. Agorwyd Llyn Celyn ar 28 Hydref 1965 ond bu'n rhaid i Arglwydd Faer Lerpwl a'i westeion adael yn ddiseremoni pan ymosododd torf o brotestwyr ar y gweithgareddau.

Yn ddiweddarach yn y 1960au, cadwyd y cam â'r cwm yn fyw gyda sloganau 'Cofia

Dryweryn' ledled Cymru a chan ymosodiadau terfysgol ar bibelli dŵr o gronfeydd Cymru i Loegr. Rhwng 1966 ac 1968, bu chwe ffrwydriad a wnaeth ddifrod sylweddol gan atal dŵr am gyfnod i rai o ddinasoedd Lloegr. Yn 1970, canfu'r gwasanaethau cudd mai MAC (Mudiad Amddiffyn Cymru) oedd yn gyfrifol a charcharwyd yr arweinydd, John Jenkins, am ddeng mlynedd.

Dyma gefndir y bygythiad i Gwm Gwendraeth Fach yn nechrau'r 1960au. Ond roedd pobl y cwm wedi dysgu gwersi pwysig o'r ffordd yr oedd yr awdurdodau wedi trin trigolion Cwm Tryweryn. Roedd bron y cyfan o'r ffermwyr yn berchen ar eu tiroedd eu hunain ac fel un, dan arweiniad doeth eu gweinidog lleol y Parch W. M. Rees a chynrychiolwyr yr undebau amaethyddol, gwrthodwyd yr hawl i swyddogion corfforaeth Abertawe archwilio na hyd yn oed gerdded ar y tir.

Aeth Abertawe i'r llysoedd a chael hawliau gorfodol i archwilio'r tir, ond yn wyneb achos llys a charchar, daliodd yr ardalwyr yn gadarn gan gau mynedfeydd gydag offer sgrap a chadwyno'r giatiau. Yn

1. Map o ymosodiadau terfysgol 1966–68, yn cynnwys rhai ar bibelli sy'n cario dŵr o Gymru i Loegr; 2. Cofeb Llangyndeyrn

ystod haf 1963, daethpwyd â'r heddlu i'r cwm i geisio gorfodi'r trigolion i ildio i'r gorchmynion llys, ond eto nid ildiodd y boblogaeth leol. Yn wyneb y fath gadernid, rhoddodd Abertawe'r gorau i'w chynlluniau i foddi pentrefi a thir ffrwythlon Cwm Gwendraeth Fach.

Ar ôl hynny, bu cynrychiolaeth o bwyllgor amddiffyn y cwm yn annerch a rhannu gwybodaeth gydag ardaloedd yng nghanolbarth Cymru oedd yn wynebu bygythiadau tebyg. Roedd y frwydr hon dros dir Cymru wedi'i hennill.

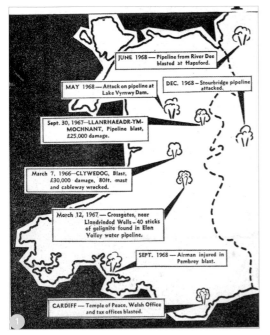

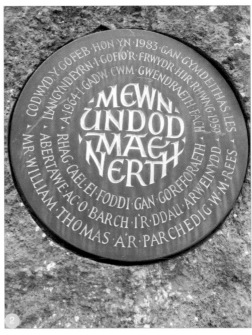

Brwydr yr Iaith Gymraeg

Mae hon yn frwydr wahanol iawn i bob un o'r brwydrau eraill y ceir eu hanes yn y gyfrol hon. Yn ddaearyddol, mae'n frwydr i Gymru gyfan, ond yn bennaf mae'n frwydr yn enaid Cymru ei hun. Yn y diwedd, pobl Cymru fydd yn penderfynu tynged y frwydr hon drwy'u hymroddiad i ddefnyddio'r iaith ym mhob agwedd o'u bywydau neu beidio.

Ar y daith i'r fan honno, roedd yn rhaid wynebu nifer o sgarmesoedd llai oedd yn delio'n uniongyrchol â deddfau gwlad. Bu hon yn frwydr lle na ddefnyddiwyd arfau trais, ond daeth gwahanol aelodau o'r mudiad iaith dros y blynyddoedd yn dorwyr cyfraith cyson. O 1952 hyd 1960, brwydrodd teulu'r Beasleys yn Llangennech am bapur treth Cymraeg gan y cyngor lleol. Pan wrthodwyd eu cais, gwrthododd y teulu dalu'r dreth. Cawsant eu llusgo i'r llys 16 gwaith ac ymwelodd y bwmbeili â'u cartref bedair gwaith i gipio dodrefn er mwyn talu'r dreth. Yn y diwedd, ildiodd y cyngor a darparwyd papurau treth dwyieithog.

Trodd y math hwn o anufudd-dod suful yn batrwm cyffredin yng Nghymru o 1962 ymlaen ar ôl sefydlu Cymdeithas yr Iaith Gymraeg. Rhwng 1962 ac 1992 bu 1,105 o aelodau'r mudiad o flaen llysoedd a charcharwyd 171 ohonynt. Roedd y pwyslais ar dorri cyfreithiau er mwyn tynnu sylw at anghyfiawnder a derbyn y canlyniadau, gan arwain at gonsenws cynyddol drwy Gymru o blaid y Gymraeg a'r hawl i'w defnyddio.

Pasiwyd deddfau yn 1967, 1993 a 2011 yn cryfhau statws swyddogol a chydraddoldeb y Gymraeg yn llygad y gyfraith. Hon oedd y gyfraith, ers y Ddeddf Uno yn 1536, oedd wedi gwahardd y Gymraeg o fywyd cyhoeddus, gweinyddiaeth y gyfraith ac o fyd addysg.

Hon oedd wedi deddfu nad oedd yr un 'person or persons that use the Welsh speech or language shall have or enjoy any manner of office or fees within this Realm of England, Wales or other of the King's Dominion ... unless he or they use and exercise the English speech or tongue'.

Wedi canrifoedd o wahardd, gwawdio a thanseilio, gan arwain at ddirywiad yn hyder a pharodrwydd pobl Cymru i ddefnyddio'r iaith, daeth bywyd newydd a chyfoes i'r Gymraeg yn ei thiriogaeth. Er hynny, mae creu'r gymdeithas a'r wladwriaeth briodol lle gellir ei defnyddio'n naturiol a dirwystr yn her o hyd. Mae hon yn frwydr sy'n parhau.

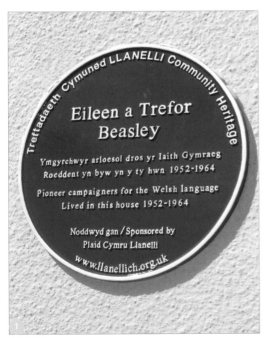

Ffynonellau

Cyfeirir at haneswyr wrth eu henwau yn y testun, a dyma'r ffynonellau i'r ffeithiau a ddyfynnir ganddynt:

Annales Cambriae (Croniclau'r Cymry), achau a chronicl y Cymry a gofnodwyd yn Nhyddewi ar gais Owain ap Hywel Dda tua 960, mae'n debyg

ap Rhys, Gweirydd, *Hanes y Brytaniaid a'r Cymry*, Cyf. 1 a 2, William Mackenzie, 1872

Beda, Hanes Eglwysig y Saeson (*Historia Ecclesiastica Gentis Anglorum*), ysgrifennwyd tua 731

Charles-Edwards, T. M., *Wales and the Britons 350–1064*, Oxford University Press, 2014

Cronicl yr Eingl-Saeson, darlun o sefydlu'r teyrnasoedd Seisnig o 635 ymlaen

Davies, John, *Hanes Cymru*, Allen Lane, 1990

Fleming, Ian, *Glyndŵr's First Victory – The Battle of Hyddgen 1401*, Y Lolfa, 2001

Gilbert, Wilson, Blackett, *The Holy Kingdom*, Bantam Press, 1998

Gildas, *De Excidio Britanniae* (Ynghylch Cwymp Prydain), ysgrifennwyd tua 540

Griffiths, Jenny and Mike, *The Mold Tragedy of 1869*, Gwasg Carreg Gwalch, 2001

Gruffydd, Alwyn, *Mae Rhywun yn Gwybod ...*, Gwasg Carreg Gwalch, 2004

Hackett, Martin, *Lost Battlefields of Wales*, Amberley, 2014

Jones, Arthur (gol.), *Hanes Gruffudd ap Cynan*, Manchester University Press, 1910

Hughes, Vaughan, *Cymru Fawr: Pan oedd gwlad fach yn arwain y byd*, Gwasg Carreg Gwalch, 2014

Huws, Howard, *Buchedd Garmon Sant*, Gwasg Carreg Gwalch, 2008

Jones, Craig Owen, *The Revolt of Madog ap Llywelyn*, Gwasg Carreg Gwalch, 2008

Jones, David, *Before Rebecca – Popular Protests in Wales 1793–1835*, Allen Lane, 1973

Lloyd, J. E., *A History of Wales*, Vol. 1, Longmans, Green & Co., 1911

Mwyn, Rhys, *Cam i'r Gorffennol: safleoedd archaeolegol yng Ngogledd Cymru*, Gwasg Carreg Gwalch, 2014

Nennius, *Historia Brittonum* (Hanes y Brythoniaid), ysgrifennwyd yng Ngwynedd 796–830/tua 830, cofnodwyd ym Mangor

Phillips, Dylan, *Trwy Ddulliau Chwyldro ...? Hanes Cymdeithas yr Iaith Gymraeg 1962–1992*, Gomer, 1998

Rees, W. M., *Sefyll yn y Bwlch*, Y Lolfa, 2013

Richards, Melville, *Enwau Tir a Gwlad*, Gwasg Gwynedd, 1998

Roberts, Gomer M., *Crogi Dic Penderyn*, Gomer, 1977

Sieffre o Fynwy, *Historia Regum Britanniae* (Hanes Brenhinoedd Prydain), tua 1136

Smith, J. Beverley, *Llywelyn ap Gruffudd Tywysog Cymru*, Gwasg Prifysgol Cymru, 1986

Turvey, Roger, *Owain Gwynedd, Prince of the Welsh*, Y Lolfa, 2013

Turvey, Roger, *Twenty-one Welsh Princes*, Gwasg Carreg Gwalch, 2010

Rees, Rice, *Welsh Saints or the primitive Christians*, 1836

Warner, Philip, *Famous Welsh Battles*, Fontana, 1977